머리말

인간은 태어날 때부터 부족함을 안고 살아간다. 자신의 존재를 유지하기 위해, 그리고 보다 나은 미래를 위해 부족함을 채우려 힘껏 노력한다. 이러한 과정에서 늘 불확실성에 직면하고 '이룸'과 실패가 갈린다. 한 시점에서 실패를 겪으면 이를 극복하기 위한 번민이 시작되고, 무언가 '이룸'으로써 부족함이 다소나마 채워진다 하더라도 다음 단계의 미래에 새로운 부족함이 또다시 태동한다. 계속 불확실한 미래를 헤쳐 가며 부족함의 공백을 채우면서 새로운 여정으로 나아가는 연속적 시간의 지평이 '생(生)의 궤도'일 수 있다.

이 책은 필자가 2016년 펴낸 『함께하는 긍정』 제하의 자서전을 근간으로 50년 성장과정에서 겪고 파악했던 의미 있는 명제를 추출하는데 주안점을 두었다. 이미 출간된 책의 내용을 새롭게 구성하여 펴낸 목적은 한 자연인이 교직의 삶을 지향하면서 고비고비 겪었던 실패와 좌절, 번민과 희망, 성취와 도전을 통해 깨달은 '삶의 지혜'를 많은 분들이 겪고 느꼈던, 그리고 공감할 수 있는 공통의 지향점으로 도출, 제시하는 데 있다.

이 책에서 기술한 성장 고비마다 겪은 번민과 내적 성찰은 필자 개인의 고유한 체험에 머무르는 것이 아니고, 많은 분들이 어려운 여건을 극복하고 존재가치를 확인 · 확대하려는 고뇌에 찬 여정에 담긴 '값진 공통의 메시지'라고 판단했고, 이러한 판단이 이 책을 완성하게 만든 동력원이 되었다. 필자가 많은 분들이 겪었던 것처럼 어려움을 어떻게 극복하며 현재의 길에 다가섰는가를 기록하는 것은 한 시대를 살았던 교육자의 책무라고 생각했기 때문이다.

이 책의 일부 내용이라도 학문을 지향하는 미래 인재들과 대학의 가치를 증진하는 데 전념하고 있는 대학 구성원들에게 '실천적 제언'이 될 수 있기를 기대한다. 더 나아가 미래의 불확실성 속에서 번민하고 있는 청년학도들에게 용기를 잃지 않고 불확실성을 스스로 헤쳐나감으로써 자기실현에 도달할 수 있다는 견고한 믿음을 심어주는 단초로 남을 수 있길 바란다. 특히 자신이 '금수저'가 아닌 '흙수저'를 물고 성장했기에 많은 어려움을 안고 있다고 믿으며 미래를 어둡게 보는 젊은이들에게 '흙수저론'이 '선입견' 일수 있다는 사실을 강조하고 싶다.

이 책을 쓰면서 "어린 소년이 어떻게 이런 생각을 했을까? 혼자서 역경을 이겨내기 위해 번민하다니?"라고 독백하며 눈시울이 뜨거워지기도 했다. 보이지 않는 '뜨거운 눈시울'은 나만의 것이 아니고 같은 시대를 살아온 많은 분들의 것일 수 있다. 그만큼 인고의 삶을 지내며 오늘에 이르렀고 오늘의 우리를 만들었기 때문이다.

2022년 1월
울산 무거동, 울산대학교에서
오 연 천

이 책을 나를 세상에 태어나게 해주신 부모님과
평생 나눔을 함께한 가족에게 헌정함.

차례

이 책의 구성 _13

• 제1부 • 상경과 동경의 길

Ⅰ 시골 소년의 상경 : 좌절과 도전 _16

1. 초등 3학년 여름방학, 서울의 형님 가정교사 주인댁 방문 _16
2. 어머님께 '서울 전학'간청 _19
3. 새로운 환경에 실망과 좌절 _20
4. 좌절 이겨내기 위해 적응과 각성 _22
5. 중학 입시 처절한 실패 _23
6. 2차 대광중학 입학, 3개월 만에 자퇴 _25
7. 경기중학에 재(再) 도전 _26

Ⅱ 중·고교시절, 소년의 꿈과 미래의 번민 _30

1. 재수생의 그림자 지우기 위해 학습에 전념 _31
2. 검정고시 응시 후 월반(越班)시도 _32
3. 고교시절 신문열독, 신문제작, 영어연마에 정열 쏟아 _33
4. 경제적 불평등과 민족주의에 '때 이른' 호기심 _36
5. 기존체제에 대한 간헐적 저항 _37
6. 기대난망(期待難望)이었던 대학입시에 합격 _39

Ⅲ 대학의 길 : 이상과 현실의 교차점 _42

1. 대학에 대한 낙관적 기대와 현실적 회의 _42
2. 매너리즘에 빠진 학점이수와 다양한 학외활동 _43
3. 전공에 대한 긍지 살리지 못한 안타까움 _45
4. 냉엄한 현실 인식하며 좌표설정 번민 _47
5. 번민 끝에 행정고시 준비에 몰입 _49
6. 졸업 앞둔 시련의 삼중고(三重苦) _52
7. 행정대학원 재수 끝에 입학, 행정고시 세차례 도전 끝에 합격 _56
8. 공무원 진입 후의 빛과 그림자 _58

• 제2부 • 불확실성 속의 유학과 학문의 길

Ⅰ 상상할 수 없었던 '유학의 행운' _64

1. 초임사무관의 '공무원해외유학제도' 입안 _64
2. '유학제도 입안' 공무원이 최초의 유학 Ticket _66

Ⅱ 유학의 외딴 길에서 새로운 적응 _69

1. 뉴욕에서 뒤늦게 철든 '학습태도' _69
2. 반년 만에 통계학 강의 맡는 희극(?) _71
3. 부족함 보완 위해 능동적 소통 _72

Ⅲ 열악한 여건 속의 '학문 매진' 선택 _79

1. 학습에 대한 자신감이 또 다른 번민의 씨앗? _79
2. 공직포기, 학문 전념키로 내면의 단안(斷案) 내려 _81
3. 국비유학 2년 후 귀국, 공무원 사임 _83

4. 부모님 집 팔아 유학비용 전액 환불 _85
5. 요약 : 3년 반 기간의 희망, 불안, 좌절, 결단, 수습의 여정 _87

Ⅳ 장래 학문진로의 불확실성 타개 위해 꾸준한 대비 _89

1. 서언: 현실로 다가온 미래의 불확실성 _89
2. 경제적 어려움의 극복 _91
3. 학문적 정체성의 모색 _92
4. 진로에 대한 불확실성 사전 대처 _94

Ⅴ 3수(三修) 끝에 모교 교수채용 _96

1. '모교에 둥지를 트고 싶다'는 한줄기의 희망 _96
2. 모교 교수님의 지원 권유에도 '한여름 밤의 꿈'에 그치고 말아 _98
3. 원로 교수님께 귀국 인사한 것이 화근의 씨앗 _98
4. 예상 밖의 재공모 소식에 '희망의 꿈' 놓지 않아 _100
5. 예견된 두 번째 좌절과 3수(三修) 도전의 결실 _102
6. 3번 시도 끝에 얻은 교훈 _103

Ⅵ 교수의 긍지와 소명감 _106

1. 대학의 신뢰에 '감사 · 헌신 · 겸손'으로 응답 다짐 107
2. 발상의 전환 시도 _108
3. '교수는 강의준비가 최대의 학습이다'라는 믿음 _109
4. 학생지도와 인간적 상담에 매진 _111
5. '대학의 일'앞장서는 적극적 자세 _112
6. 정책 네트워크(network)구축 모색 _115
7. 미완(未完)에 머무른 가치지향의 책무 _116

• 제3부 • 상상하지 않았던 총장의 길

Ⅰ 20년 교수하며 '총장' 생각해본 적 없어 _120

1. 교수직에 대한 애착과 만족 _120
2. 불가능에 가까운 객관적 상황 _121

Ⅱ 어떤 계기로 총장 후보로 나가게 되었나? _123

1. 개인적 성향으로는 도전의지 설명 어려워 _123
2. 다양한 경험 통한 '사후적 자신감'과 '익숙해진 도전의지' _125

Ⅲ 어떤 과정을 통해 자신감이 형성되었나? _127

1. 중견교수 시절, 대학 목표에 대한 관심의 지평 넓히게 돼 _127
2. '행정대학원장' 체험이 '격상된 자신감' 불러일으켜 _129
3. 참여 통해 '소수'라는 강박감에서 벗어날 수 있어 _130
4. 교수 내면에 자리잡은 총장에 대한 '기대의 이중성(?)'극복 _131
5. 동료 교수들의 신뢰와 총장의 권유(?)가 용기 북돋아 _132

Ⅳ '도전의 길' 열어준 다양한 참여 기회 사례 _135

1. '살아있는 체험', 대학공통이익 실현의 밑거름 _135
2. 제도형성 과정 참여의 기회 _138
3. 대학 기반시설의 조성에 일조(一助)할 수 있는 기회 _156
4. 동료교수들과의 신뢰 형성 기회 _173
5. 위기 상황에서 고언(苦言)할 수 있는 기회 _182

Ⅴ 위기와 좌절의 극복 _191

1. 지상파 방송의 '국고유용 의혹' 특별취재가 무위(無爲)에 그치다 _192

2. '논문(?) 중복게재 의혹' 보도로 곤혹과 위기 겪어 _195
3. 터무니없는 '가족문제(?)' 네가티브 공세에도 흔들림 없어야 _199
4. 맺음말, 비판에 대한 최선의 대응도 책무로 생각해야 _200

Ⅵ 예견된 좌절(2006년)과 예상 밖의 과반(過半)(2010년) _203

1. 실패에도 선전(善戰)의 여운 _204
2. 실패직후 재수 도전 결심 _206
3. 예상치 못한 1차 과반득표 _211
4. 에필로그 _213

Ⅶ 새로운 번민과 시련에 대한 다짐 _215

1. 신임의 환희 속에 잠겨진 새로운 번민 _215
2. 임기 4년을 '시련의 시간'으로 간주 _217
3. 선출직 공복의 '임기'에 대한 집착 벗어나 _217

• 제4부 • 50년간의 체험에서 깨달은 교훈

Ⅰ 실패는 깨달음의 기회이고, 극복하면서 미래를 결정한다 _222

Ⅱ 인생행로의 갈림길에서 학문정진을 위해 결단하다. _225

Ⅲ 성취를 이룬 후 마음가짐 _228

1. 평생교육자로 인도해 준 세 가지 사례 _228
2. 무엇을 이루어냈다고 자만해선 안 된다. _231
3. 성취를 객관화하는 노력은 신뢰형성의 출발 _232

• 부록 • 남기고 싶은 다짐의 말

Ⅰ 학창시절 · 교수시절의 체험 _236

Ⅱ 사례를 통해 도출한 메시지 _242

Ⅲ 위기와 좌절극복 사례의 교훈 _248

Ⅳ 50년간의 체험에서 깨달은 교훈 _249

표 색인 _251

참고문헌 _252

중앙아시아를 출발, 인도에서 겨울을 나기 위해 해발 6000m 히말라야 상공을 비상(飛上)하는 줄기러기떼. 영하 40도의 혹한과 희박한 산소의 혹독함을 견디어내면서 이동하는 줄기러기떼의 생존을 위한 투혼은 인간의 삶의 여정에도 암시하는 바가 크다.

이 책의 구성

이 책은 9살 때 충남 공주에서 막연한 꿈을 품고 상경해, 초등 후반, 중 · 고등, 대학교육을 마친 후 공직과 유학을 거쳐 학자의 길을 걷고 후일 공직의 길로 들어서는 반세기 여정을 70세가 된 시점에서 그린 것이다.

소년기부터 더 넓은 세계로 나가는 단계마다 겪었던 번민과 실패를 어떻게 극복과 도전의 길로 헤쳐나갔는지를 현재의 시각에서 조망했다. 당시에는 의식하지 못했을 수 있는 상황이나 심적 상태를 기억을 더듬어 재음미해 서술하였다.

앞부분(1부)에서 소년에서 청년에 이르는 초등학교 후반, 중고교, 대학시절, 미래를 동경하면서 가치관의 혼돈을 겪고 장래 진로를 모색하는 과정을 다루었다.

2부에는 공무원 재직 중 해외 유학의 기회를 활용, 진로를 바꿔 학문으로 나아가는 길, 그리고 교수로서 존재가치를 실천하려는 과정을 서술했다.

3부에서는 생각지 않았던 총장의 길로 나서게 된 동기와 배경, 번민과 결심, 그리고 평교수 시절 다양한 참여 기회가 가져다 준 공적 체험을 분야별 사례로 정리했다. 사례마다 공통이익 실현을 위한 공복(公僕)의 마음가짐과 갖추어야 할 기본역량을 경험론적 시각에서 제시했다. 총장 도전의 구체적 과정과 결과를 서술하면서, 10년 가까운 직접 · 간접의 준비과정에서 겪었던 감회와 각오를 정리하였다.

마지막 4부는 50년의 생애를 겪으면서 깨달은 '평범하며 보편적인' 교훈을 서술하였다. 이미 앞에서 시기별로 기술한 내용 중 생애의 전환을 가져온 중요 사례를 골라 동료 · 후학들에게 전하고 싶은 메시지를 정리했다. '실패를 깨달음의 기회로 삼고 좌절을 스스로 극복하면서 미래를 개척해야 한다'는 삶의 지향을 거듭 확인하면서, 성취에 따른 자만심을 경계하고 겸허한 마음가짐을 강조했다.

제 1 부

상경과 동경의 길

Ⅰ 시골 소년의 상경 : 좌절과 도전

Ⅱ 중 · 고교시절, 소년의 꿈과 미래의 번민

Ⅲ 대학의 길 : 이상과 현실의 교차점

I

시골 소년의 상경 : 좌절과 도전

1. 초등 3학년 여름방학, 서울의 형님 가정교사 주인댁 방문
2. 어머님께 '서울 전학'간청
3. 새로운 환경에 실망과 좌절
4. 좌절 이겨내기 위해 적응과 각성
5. 중학 입시 처절한 실패
6. 2차 대광중학 입학, 3개월 만에 자퇴
7. 경기중학에 재(再) 도전

1. 초등 3학년 여름방학, 서울의 형님 가정교사 주인댁 방문
– 바깥세상을 향한 최초의 외출

1) 형님에게 보낸 편지로 홀로 서울여행

1959년, 공주사범부속국민학교(현재, 교대부속 초등학교) 3학년 8살 소년이 여름방학을 이용, 생애 처음으로 홀로 부모님 곁을 벗어나 서울 여행을 떠났다.

서울에서 의과대학 다니며 입주 가정교사로 있는 둘째 형님을 만

나기 위해 공주버스터미널에서 버스로 조치원역까지, 조치원역에서 완행기차로 서울역까지, 그리고 서울역에서 전차로 서대문 북아현동에 도달해 도보로 형님이 머무는 주인댁에 도착했다.

아침 9시에 출발해 무려 9시간만인 저녁 6시 넘어 목적지에 도달했다. 8세 소년이 홀로 그 먼 거리를 여행했다는 것이 지금 기준으로 상상하기 어렵다.

더욱이 놀라운 것은 그 긴 여행이 필자가 서울에 있는 형님에게 졸라서 이루어진 것이었다는 사실이다. 형님께 '형님 前上書, 형님이 계신 서울이 그립습니다. 여름방학 중 저를 불러 주십시오'라는 내용의 편지를 보낸 것이 그 출발점이었다. 부모님께 허락도 받지 않은 그 편지가 형님의 품에서 주인댁 어른께 전달되었고, 그분은 편지를 읽고 "이 녀석 대견하구나, 방학 중 우리 집에서 몇 주 머물도록 해라"고 형님을 북돋았다. 형님은 그 뜻을 편지로 부모님에게 전했고, 어머니는 "우리 막내가 그토록 동경하는 서울 여행을 보내자"고 결심하셨다.

어머니는 나에게 차비, 김밥, 그리고 계란 두 개를 싸주시고 공주버스터미널에서 배웅했다. 당연히 가정교사 주인댁에 보낼 감보따리도 싸주셨다. 한 손에 책가방, 한 손에 선물꾸러미와 도시락을 들고 아무런 차질 없이 서울의 서대문 댁에 도착했다. 중간중간 길이나 방향을 물어본 적이 없었다. 그 당시 기준으로 상당한 장거리 여행을 아무런 어려움 없이 완수한 당당함을 아직껏 생생히 기억하고 있다. 다만 힘들었던 것이 있었다면 조치원→서울역 완행기차에 자리가 없어 4시간 반 동안 내내 서서 왔다는 것뿐이었다.

출처 : 문화재청

1959년 7월, 초등학교 3학년 여름방학 기간 서울 여행 중, 처음 타본 전차의 모습

2) 서울의 웅장함에 감탄

서대문 댁에 도착하니 형님과 주인댁 어른(당시 세무직 공무원)들이 나를 반기며 대견스러운 듯 안아주셨다. 전차를 타고 창경원, 덕수궁, 남산, 남대문시장 등을 다니며 웅장한 서울의 모습을 만끽했다.

시골 전원생활에 익숙해 있던 소년에게 2주일간의 서울 여행은 바깥세상을 향한 최초의 외출이었던 만큼 시야를 넓히고 다양한 문물을 관찰할 수 있게 된 값진 기회였다. 난생처음으로 전차를 타보고 자동차가 넘치는 번화한 거리를 걸으면서 "와, 이런 세상이 있구나"라고 감탄하지 않을 수 없었다. 서울역, 남대문, 시청, 중앙청 건물은 왜소한 건물만 보았던 시골 소년의 눈에 경이로움을 안겨주었다. 2주일간의 서울 유람 중 인상에 남았던 것을 그림일기로 남겼다.

형님이 의대에 다니면서 경제적으로 의존하고 있는 주인댁 내외분의 나에 대한 분에 넘치는 호의를 60년이 지난 지금에도 잊을 수 없다. 지금 생각하면 입주 가정교사의 동생을 자진해 초청해서 2주간 정성으로 돌봐주셨음은 가정교사 형님에 대한 높은 신뢰와 정성이 아니고는 설명이 될 수 없다고 믿는다.

2. 어머님께 '서울 전학' 간청

2주일간의 서울 체류 후, 아쉬움을 뒤로하고 공주집으로 돌아왔다. 만 8살 소년이 서울에 다녀온 후로는 서울에 대한 애틋한 동경이 사라지지 않았다. 아마도 조용하고 변화 없는 시골 생활을 잠시 벗어나 목격했던 넓고 큰 세상의 '새로움'과 '호기심'에 대한 기대가 사라지기는커녕 점점 부풀어 올랐다.

어머니께 "형님 두 분이 서울에 계시니, 저도 서울로 보내주세요"라고 연일 졸라댔다. 처음에는 '서울 갔다 와서 기분 좋아 그러려니 하셨다'가 계속 서울에 가 공부하고 싶다고 떼를 쓰는 등 간절함을 내비치니, 어머니께서 다음 학기(4학년 초)에 서울로 전학 가게 해주겠다고 언약하셨다. 아마도 어머니의 막내아들에 대한 애틋한 자부심이 집안 생계가 달린 하숙 일을 접고 서울 이주 결심으로 귀착된 듯하다.

1960년 4월 초, 이제 만 9살이 된 시골 소년이 어머니 손을 잡고 상경했다.[1] 6개월 전 여름방학 서울 여행이 바로 다음 학기(4학년초) 전학 오게 된 계기가 된 것이었다. 평소 막연한 서울에 대한 동경이 2주 여행을 통해 점화되었고 서울에 가서 학교 다니면 무언가 좋은 일이 있을 것이라는 어린 소년의 순박한 기대가 현실이 된 것이었다.

1 그 당시는 새학기가 4월에 시작되었고, 몇 년 뒤 3월 학기로 바뀌었다.

3. 새로운 환경에 실망과 좌절

– 되돌릴 수 없는 선택

서울로 전학 옴에 따라, 누님들은 공주에서 학교 다니고, 어머님, 두 형님, 나 4인 가족이 동대문 창신동 단칸방에 세를 들어 살았고, 집 근처 숭신초등학교 4학년에 다니게 되었다.

서울의 생활은 여러모로 열악했다. 집주변이 청계천 옆으로 무허가 판자촌이 밀집한 동네였다. 공주 집은 오래된 단독주택이지만 방이 5개나 되고 마당도 있었는데 서울의 단칸방은 밤에 잘 때 뒤척일 공간도 여의치 않았다.

출처 : 고려대학교 박물관

생애 처음 보는 동대문 인근 카오스(Chaos) 현장

1960년 4월 초 서울로 전학 온 뒤 2주일 만인 4월 18일, 고대생들이 반(反)독재를 외치면서 동대문을 지나 종로 4가 종로경찰서 방향으로 시위하고 있다. 당시 초등학교 4학년이었던 필자는 사진 속의 뒤에 보이는 동대문 중간벽에 올라 "무언가 세상이 바뀌고 있다"라고 느끼면서 시위 현장을 지켜보고 있었다.

공주초등학교는 한 반에 40명의 학생이 개별 교생선생님의 지도를 받는 쾌적한 교육 환경이었는데, 서울의 학교는 한 반에 80명이 넘는 콩나물 교실이었다. 전학 온 지 얼마 되지 않아 동급생 아이들로부터 시골서 전학 온 아이라면서 이유 없이 자주 폭력에 시달렸다.

서울에 온 지 얼마 지나지 않아 서울로 전학 가게 해달라고 떼를 썼던 일을 후회하지 않을 수 없었다. 그렇다고 이제 와서 공주로 돌아가고 싶다고 말할 수도 없었다. 열악한 학교생활을 가족들에게 한 마디도 안 했다. 공연히 이야기해봤자 대책은 없으면서 걱정만 끼쳐 드리는 것이 마음에 걸렸기 때문이다. 내가 어머니께 졸라서 서울로 전학 왔고, 어머님까지 오셔서 살림살이를 차리고 있는 한, 서울 생활이 기대했던 것과 딴판이라고 해서 다시 고향으로 돌아갈 수는 없다고 생각했다.

그렇다면 학교생활에 빨리 적응해야 한다고 마음먹었다. 그러기 위해서는 무엇보다도 새로운 친구를 사귀고 공부를 조금이라도 잘 하는 방법밖에는 없었다.

51년만의 모교방문(구태회 숭신초 교장(왼쪽), 필자(가운데))

1963년 제1회 숭신초등학교를 졸업한 필자는 51년 만에, 2014년 2월 14일 개최된 '제52회 졸업식'에 참석하였다. 즉석연설을 통해 "산꼭대기 바위틈에서 흘러내리는 한 방울의 물은 스스로 떨어져 계곡을 만들고 산천경관을 이루면서 강으로 흘러 바다로 간다"라며 "산골짜기에서 스스로 떨어지는 물방울처럼 스스로 '내가 나의 주인이다'는 생각을 가지고 삶을 살아간다면 여러분의 미래는 달라질 것"이라며 학생들을 격려했다.

4. 좌절 이겨내기 위해 적응과 각성

전학 초기에는 급우(給友)들로부터 '촌뜨기 전학생'이라고 외톨이 취급을 받아 소외감과 무기력에서 벗어나기 어려워 학교생활에 전력을 쏟지 못했다.

첫 학기가 지나면서 '이러면 안 되겠다'는 막연한 불안감이 솟아나기 시작했다. 내가 원해서 어렵게 전학 왔는데, '시골 있을 때보다 잘해야 된다'고 스스로에 대한 무언의 채찍질이 학교생활에 '순조로운 적응'의 전기가 되었다.

출처 : 국가기록원

1961년 5월 16일, 중앙청을 지키는 병사들

초등학교 5학년 초, 1961년 5월 16일 아침, 동네 전파상 라디오에서 흘러나오는 "군이 애국을 위해 궐기했다"는 혁명 포고문과 군가를 들으며 등교했는데, 교문이 닫혀 집으로 돌아왔었다.

내 스스로 잘하겠다고 결심하고 실천해야 성적도 나아지고 가족들의 기대에도 부응할 수 있다고 다짐했다. 그때 형님이 가르쳐 준 '하늘은 스스로 돕는 자를 돕는다.(Heaven helps those who help themselves.)' 는 교훈은 어린 소년의 마음속 깊이 각인돼, 아직껏 생생히 이어지고 있다.

학교 수업도 공주에 있을 때는 교과서와 선생님이 작성한 학습 자료가 중심이 되었는데 서울에서는 참고서(전과, 수련장 등)와 잦은 시험이 주축을 이루었기 때문에 새로운 수업 양식에 적응하느라 마음고생이 많았다. 어려운 학습 환경에서도 나에게 행운이었던 것은 두 분 형님이 나를 지극정성으로 돌봐준 것이었다. 주요 교과목의 중요한 부분에 대해서 핵심을 이해시키고 지적 호기심을 유발하기 위해 의도적으로 질문을 해 답변을 유도하는 데 심혈을 기울이셨다.

전학 온 첫 학기 성적이 중위권을 벗어나지 못했는데 1년 후 5학년 때는 상위권, 2년 후 6학년 때는 상위권을 넘어서는 장족의 발전이 이루어졌다. 아마도 형님의 특별 지도와 교과서 외에도 참고서와 문제집의 적극적 활용에 기인했다고 보았다.

5. 중학 입시 처절한 실패
– 체능 준비 소홀함이 원인

어느덧 6학년이 되어, 중학교 입시 준비에 몰입해야 하는 시점에 도달했다. 나도 모르게 '명문 중학교에 들어가야 서울로 올라온 보람을 찾을 수 있나'는 기내가 굳어지기 시작했다.

그 당시 중학 입시경쟁은 치열했다. 서울의 많은 학부모들은 자녀들을 소위 명문 중학으로 일컬어지는 '5大 공립'과 '5大 사립'에 입학시키기 위해 과외 열풍이 대단했던 시절이었다.

집안 형편이 어려워 과외공부를 받을 수 없었지만, 의대 실습으로 눈코 뜰 새 없이 분망한 둘째 형님이 돌봐준 덕분에 과외수업 이상의 성과를 거두었다. 형님은 일본에서 출간되어 번역본으로 나온 산

수 참고서를 구해 오셔서 어려운 문제를 일일이 풀어주셨고 국어는 원래 신문을 열심히 읽은 탓에 상당 수준의 진도에 도달해 어렵지 않게 입시를 준비할 수 있었다.

6학년 2학기 성적이 상위권에 있어 담임선생님은 명문 중학의 하나인 서울중학교에 지원하라고 권장했고, 담임선생님, 가족 모두 합격할 수 있다고 믿고 있었다.

그러나 결과는 냉혹했다. 커트라인 1점 차이로 낙방했다. "한 문제만 더 맞추었더라도 합격했을 텐데......"라고 탄식하면서도 고배의 원인을 알고 나니 더욱 어이가 없었다. 당시 체능(달리기, 넓이뛰기, 턱걸이, 던지기, 높이뛰기 5종목 × 각 5점) 점수가 25점 만점인데, 나는 겨우 13점을 맞아, 필기고사에서 12개 틀린 것과 똑같은 총득점 결과가 나와 탈락했던 것이다.(당시 커트라인은 9개 틀리는 것이었던 것으로 기억하고 있음) 나중에 알고 보니, 웬만한 집안에서는 체능 만점을 맞기 위해 개인지도를 시켰고, 합격자 대부분이 만점 근처의 점수를 받았다는 것이었다. 가족들이 입시정보가 어두웠던 탓에 체능 점수를 따는 것의 중요성을 간과했던 것이다.

가세가 기울었지만, 그런대로 평범한 가정의 초등학교 4학년 시골 소년이 막연한 '청운(靑雲)의 꿈'을 품고 서울로 전학을 와 적응해가며 상위권에 진입해 합격하리라고 믿었던 기대가 산산이 조각났다. 나의 생애에 있어 첫 번째 시련이었다.

생애 처음으로 '경쟁이 존재한다는 것', '경쟁이 치열하다는 것', 그리고 '뜻대로 안 되는 일이 있다'는 사실을 깨닫게 되었다. 더 나아가서 '마지막까지 최선을 다하지 않으면, 기대했던 결과가 나오지 않는다'는 평범한 사실을 인식하게 되었다. 동시에, 자신이 안고 있는 한계를 파악한 이상 더이상 그것을 방치하기 않고 원상을 회복하고 싶은 충동이 내재되었다.

6. 2차 대광중학 입학, 3개월 만에 자퇴

1) 입학 후, 실패에 대한 좌절감 극복 못해

2차 지원으로 집 인근의 대광중학을 택했고 무난한 성적으로 합격했다. 가족들은 열망했던 명문 진학은 좌절되었지만 그래도 차선의 선택이라고 만족하면서 막내를 위로했다.

중학에 입학해 일단 마음을 추슬렀지만 억제할 수 없는 좌절감은 후기로 진학한 중학의 교모를 쓰지 않고 들고 다니는 등 실패로 인한 열등감을 억누르기 어려웠다. 아마도 초등 4학년 때 서울로 올라와 겪었던 어려움을 명문 중학 진학으로 보상(compensation)받으려는 심리가 꾸준히 쌓여왔는데, 막상 그 목표가 무위에 그치자 속으로 자존심이 크게 손상되었던 듯싶다. 보통 어른들이 보기에는 일류중학 진학에 실패를 겪었을지라도 괜찮은 중학에 다니게 된 소년이 품고 있는 이런 좌절감을 이해할 수 없었을 것이다.

2) 무단결석 우려한 선생님 가정방문에 어머님의 '태연함'

1학기 중간고사를 치르고 난 후 집에 아무 말도 안 한 채, 갑자기 등교하지 않고 남산에 있는 시립도서관으로 향했다. 무엇이 나를 그곳으로 인도했을까? 어떻게 남산도서관이 있는 줄 알았을까? 그곳에서 6학년 교재들을 펼쳐 보면서 다시 중학 입시 준비에 몰입했다.

대광중학의 담임선생님(물상과목 담당)은 얌전한 모범 학생이 예고 없이 학교에 나오지 않자, 우리 집을 방문했다. 선생님을 맞은 어머니는 그제서야 막내가 며칠간 등교하지 않은 사실을 알게 되었다. 참으로 놀라운 것은 어머니가 그 사실을 듣고도 별로 놀란 기색을 안 보이시고, "우리 애가 원하는 중학교에 가려는 집념이 강해 재수 준비하고 있는 것 같으니 조만간 자퇴를 시키겠다"고 응답했다고 하셨다. 그날 밤 어머니는 장기결석을 추궁하지 않고 "열심히 해서 내년에 더 좋은 학교에 입학해 보라"고 격려해주셨다.

어머니께서 '허락받지 않은 장기결석'을 접하면서도 당혹감을 나타내지 않고 태연함을 보이신 것은 막내에 대한 사랑과 깊은 신뢰에 기인한 것이라는 것을 느끼면서 다가올 중학 입시 준비에 박차를 가하는 것이 어머님에 대한 보답이라고 생각했다.

7. 경기중학에 재(再) 도전

– 동경이 맺은 중간의 결실

중학교 1학년 13세 소년이 어느 누구와 상의도 하지 않고 스스로 재수하겠다고 학교를 그만두는 일이 과연 가능할 수 있을까? 재수해서 원하는 중학에 합격할지 반신반의할 수밖에 없었을 텐데도 무슨 일류 중학 가는 일이 그렇게 대단하다고 중학에 갓 입학한 1학년생이 전격적으로 흔치 않은 중학 입시 재수생의 길을 걸었을까?

집에서 아침 일찍 출발해, 남산도서관에 9시경 도달하면 열람실에 혼자 있을 때가 많았다. 조용하고 넓은 공간에서 이미 익혔던 교과목을 치밀하게 재점검하며 미진했던 부분을 보강했다. 교과서로는 부족하다고 판단해 집 근처, 청계천 6가 평화시장 헌책방에서 참고서(수련장, 연습문제집)를 구입해 하루 9시간 정도 시험 준비에 전념했다.

혼자 시험 준비하면서 깨달은 것이 있었다. "이제 자세히 보니, 내가 꼭 알아야 할 것을 모르고 넘어갔구나. 아, 이 문장은 이런 뜻이 있었는데 이제야 알게 되었구나! 산수 공식을 외우는 것이 아니라 원리를 생각해야 하는구나!" 등 6학년 교재를 다시 복습 · 재음미하면서 새롭게 이해하는 것에 재미를 붙이기 시작했다.

그럭저럭 읽고 지나가던 교과서를 탐독하는 습관은 중학 재수 시절에 생겼다고 해도 결코 과언이 아니다. 교과서 한줄한줄 탐독한 후, 문제집을 통해 스스로 평가하면서 시험 준비에 만전의 노력을 기울였다.

이번에는 반드시 합격해야 한다는 각오가 워낙 단단해 지루함이나 피곤함을 느낄 겨를이 없었다. 틈틈이 시간을 내서 인근 학교 운동장에 가서 턱걸이, 달리기 등 체능 종목 연습에 매진했다. 옆에서 체능 준비하는 학생들이 부모님이나 과외 선생님들의 지도를 받는 모

1963년, 중학교 재수 준비를 위해 매일 찾았던 남산도서관 전경

습을 목격하면서, 지도 내용을 엿들어 자신의 취약한 체력을 보강함으로써 다가올 체능시험에 최대의 점수를 받고자 철저한 노력을 기울였다. 지금도 남산순환도로를 지날 때 옛 모습 그대로의 남산도서관 모습을 보면서 재수 시절 어린 소년의 눈물겨운 분투를 떠올리곤 한다.

어느 누구도 중학 재수를 독려하지 않았는데, 어떻게 12세 소년이 스스로 재수 준비를 했을까? 58년이 지난 시점에서 생각해 보면 아마도 어린 시골 소년이 중학 실패로 인한 좌절감을 보상하려는 심리가 크게 작용했던 것 같다. 다시 한번 시도해서 원래 뜻했던 바를 이룸으로써 실패로 인한 좌절감을 치유해 보자는 애틋한 심정이 자리 잡았을 듯싶다.

몇 개월 후, 지난해 실패한 서울중학을 택하지 않고 경기중학에 지원했다. 시험장인 화동언덕 경기중학 정문까지 바래다준 어머님의 '이번에는 확실히 잘할 거다'라는 격려를 듣고 시험장에 입장했다. "한 살 어린 학생들과 경쟁하는 이곳에서 내가 합격해도 자랑할 일이 못되니, 당연히 우수한 성적으로 합격하는 것이 기본이다"라고 스스로 북돋았다. 다음날 체능시험도 만점에 가까운 점수를 얻었다.

며칠 후 합격통지를 받았다. 우리 가족들은 환호했다. 아들이 명문중학에 합격해서만은 아니었다.

- 우리 집안에서 처음으로 서울의 중학에 입학했고,
- 그것도 4학년 때 급거 상경해 과외공부 한번 시켜본 적이 없는 열악한 상황에서,
- 그리고 한번 실패해 다시 상향 지원해 합격했으니,

우리 가족 모두의 자부심을 확인해준 것이었기 때문이다. 나 역시 생애 처음으로 성취를 맛보았고 이때의 감동은 고교와 대학을 거쳐 무려 10년의 청소년 시절을 이끌어주는 밑거름이 되었다.

공주에서 피어오른 신세계에 대한 동경은 4년 만에 종로구 화동 언덕에서 머무르게 되었다. 동경의 '목적지'가 아니라 '머무는 곳'이라고 생각해야 했다. 이제 6년간 자신의 미래를 어떻게 열어갈 것인지 새로운 기회와 도전의 시간이 또 다른 성숙의 길로 이어져야하기 때문에…….

II

중 · 고교시절, 소년의 꿈과 미래의 번민

〈 요약 〉

중학교 1, 2학년 때 학교공부에 만전을 기해 만족스러운 성과를 거두었지만 재수의 불명예를 벗어내고자 곧 검정고시를 치루고 월반을 시도했다. 3학년부터 가치관의 혼돈을 겪으며 '모범학생'과는 거리가 먼 정치, 경제 이념, 사회경제적 불평등과 부조리, 민족주의 등 정치·사회적 이슈에 심취하면서 학교의 표준화된 학습과정을 등한시했다. 그러한 가운데에도 신문제작과 영어학습에 많은 시간을 할애했다.
고교 2학년 때 교풍확립대회의 선도, 고3 때 '3선 개헌반대'를 주도하면서 학업중단의 위기를 맞았으나 운 좋게 대학진학에 실패하지 않았다. 대학에 들어가서도 고교시절의 혼돈이 이어졌으나, 3학년이 되면서 방황을 종식하고 눈에 보이는 단순화된 목표로 궤도수정이 이루어졌다. 일단 나의 한계를 직시하고 '생활인으로서의 나'를 찾아야 되겠다는 현실 지향적 목표로 방향을 전환, 그동안 폄훼하던 공무원 시험 준비로 대학생활을 마무리했다.
한마디로, 중·고교, 대학 10년간 보통학생들이 추구하는 정상궤도와는 거리가 있는 나만의 고유한 내적 세계에서 방황하고 표류하면서도 최소한의 기본을 지킴으로써 중등·고등교육의 완결에 이른 '꽤 운이 좋은 청년학도' 였다.

1. 재수생의 그림자 지우기 위해 학습에 전념
2. 검정고시 응시 후 월반(越班)시도
3. 고교시절 신문열독, 신문제작, 영어연마에 정열 쏟아
4. 경제적 불평등과 민족주의에 '때 이른' 호기심
5. 기존체제에 대한 간헐적 저항
6. 기대난망(期待難望)이었던 대학입시에 합격

1. 재수생의 그림자 지우기 위해 학습에 전념

동경하던 명문 중학에 합격함으로써 상경의 목표는 충족되었지만, 그것은 어디까지나 '지체된 성취'에 불과할 뿐이라고 생각했다. 재수를 거쳐 명문 중학에 합격하면서 그동안 겪었던 어려움이 사라진 그 공간에 또 다른 번민이 태동했다. 그것은 '재수해서 합격했다'는 스스로에 대한 자격지심이었다. 이러한 심리상태는 학업에 만전을 기울이게 한 동력원으로 작용했다.

"이제 더 이상 실패해서는 안 된다. 앞으로 어떤 실패도 겪지 않도록 항상 최선을 다해야 한다"는 각오를 깊이 새겼다. 이때의 각오는 아주 평범하지만 새로운 일을 할 때나 불확실성이 높은 선택을 할 때 '정신을 바짝 차리고 마지막 순간까지 최선을 다하되 결과에는 연연하지 말자'는 평생 교훈이 되었다.

보통 중학교에 입학하면 합격의 기쁨에 몇 달간 여유 있는 시간을 보내지만, 그것을 허용할 여유를 갖지 못했다. 원하는 중학에 입학해 일단 성취를 이루었지만 '한번 실패 후 재수해서 들어왔다'는 내

1964년 중1 시절, 아버님이 관리인의 자격으로 돌보는 고급 단독주택의 정원에서 일요일날, 아버님을 대신해서 온종일 집을 지키며 책을 읽고 있음

면의 그림자를 지우기 위해 '최선의 성적을 올리는 것'이 최소한도의 요건이라는 믿음을 한시도 잊지 않았다.

학기 초부터 수업 후 학교도서관에서 밤 9시까지 공부한 후 늦은 시간에 귀가했다. 교과서 구석구석을 훑으며 탐독했다. 영어공부는 형님의 가이드에 따라 교과서 본문을 무조건 암기하는데 주력했다. 가족들조차 내가 이렇게 열심히 학업에 매진하는 것을 몰랐다. 가족들은 막내가 이제 원하는 학교에 들어갔으니 친구들과 어울리며 학교 공부를 잘 따라가리라고 편하게 믿었기 때문이다.

2. 검정고시 응시 후 월반(越班)시도

1학년 첫 학기부터 성적이 최상위권에 이르게 되자 학업에 대한 자신감이 붙기 시작했다. 2학기에 이르며 열심히 공부에 전념하다 보니 도서관에 비치된 중2 교재까지 관심의 범위를 넓히게 되었다. 중1, 2학기 때 중2 영어교과서와 수학교과서를 자율학습해 의외로 순조롭게 진도가 나갔다. 그러다 보니 중2, 중3 교재에 대한 설부른 자신감이 생기게 되었다. 상급 학년 과목 선행학습에 대한 자신감은 '재수생이라는 족쇄'를 풀어야 한다는 발상에 불을 붙였다.

얼마 후, 검정고시를 통해 월반해 고등학교 진학을 일년 앞당기겠다는 결심에 이르게 되었다. 미리 중2, 중3 교재로 준비를 철저히 했다. 가족과 상의하지 않고 2학년 초 검정고시에 지원했다.

서울고에서 시행된 고교 검정고시장에 교복을 입고 갈 수가 없어 런닝샤스만 입고 시험장에 갔는데, 마침 감독관이 내가 재학 중인 경기중학 선생님이셨다. 그분이 어떻게 나를 알아보고 "왜 여기에 왔느냐"고 야단을 치셨다.[2] 야단맞는 일로 끝나는 줄 알았는데, 그분이 담임선생님께 검정고시 응시 사실을 알렸고, 담임선생님은 나를 불러 꾸짖었을 뿐 아니라 어머니를 학교로 불러 "정상적인 과정으로도 잘할 수 있는데, 월반은 교육상 바람직하지 않다"고 타이르셨다.

그날 집에 오니 가족들이 한데 모여 나를 기다리면서 "연천아, 정상적으로 중학교 3년 다니고 고등학교 진학하는 것이 좋다. 그까짓 1년 단축해 고등학교 일찍 간다고 해서 크게 도움이 되지 않는다"고 간곡히 설득했다. 그 순간 나의 성급함을 시인하고 가족들의 충고를 받아들임으로써 검정고시 · 월반 시도 소동은 끝을 맺었다.

검정고시준비로 중2 시절에 중2, 중3 진도를 미리 나갔던 결과, 중2, 중3 시절의 학교공부가 의외로 수월하게 된 부수적 효과를 거둔 것으로 만족해야 했다. 당시 고교입시는 동일 고교 진학의 경우 70% 수준의 합격률을 보이고 있어 치열한 입시경쟁이 아니었던 만큼 수월하게 경기고교에 진학했다.

3. 고교시절 신문열독, 신문제작, 영어연마에 정열 쏟아

1) 신문이 '최고의 가정교사'

방과 후, 학교도서관에서 교과목 학습에 전념했던 중학시절과 달리 고교시절에는 도서관에 둥지를 터놓고 있으면서도 정규 교과목과는 거리가 있는 '개인적 관심영역'에 정열을 쏟았다.

일찍이 초등학교 상급생부터 유일한 취미였던 신문읽기가 고교시절에 들어서면서 더욱 중요한 일과의 하나가 되었다. 매일 도서관에 비치된 신문 서너 가지를 완독하면서 관심 있는 주제의 사설은 물론

2 확인한 바에 따르면, 그 선생님은 감독관으로서 출석 점검을 하다가 우연히 내 이름을 보고, 자신이 근무하는 중학교 소속 학생임을 알았다고 했다.

이고 논평이나 칼럼의 결론 의견을 파악하려고 애를 썼다. 학교도서관에서 매일 신문을 한 시간 이상 읽는 학생은 내가 유일했다. 한번은 도서관 열람실 관장이 다가오더니 "매일 신문 펼쳐놓고 공부하는 학생은 오군 밖에 없네"라고 미소 지으며 호의를 보였다.

정치, 경제, 국제뉴스를 접하다 보니, 도서관 앞 '등나무 휴게소(?)'에서 마음에 맞는 친구들과의 대담 자리에 주요 이슈를 놓고 열변을 토하는 일이 잦아졌다. 3선개헌, 소련의 침공으로 빚어진 프라하사태, 월남전 등 주요 사건을 다룬 두세 개 신문의 해설, 사설을 독파해 요점과 의미를 정리해 친구들에게 설명해주고 고개를 끄덕이게 만드는 '아마추어 학생 논평가'의 재미를 흠뻑 맛보았다.

3선개헌의 부당함을 역설하고 우리의 입장을 밝혀야 한다는데 학우들이 공감을 형성한 곳도 바로 이 장소였다. 수줍어하고 자신의 의견을 전하는데 미숙했던 소년이 어느덧 중요한 이슈에서 열변을 토하는 거침없는 '다변가'의 모습으로 바뀌어가고 있었다.

신문열독은 수업에 집중할 시간을 반감시켰고, 그에 비례해 학업 성적은 향상되지 못했다. 그러나 신문을 통한 교양과 세상사에 대한

출처 : 경기고등학교 50회 동창회 홈페이지

중 · 고교 6년 동안, 희망과 좌절, 집념과 번민으로 성년의 기반을 닦았던 경기중 · 고등학교 전경(종로구 소재, 현재는 정독도서관)

관심과 이해는 '객관적 학교성적'으로 환산될 수 없는 지적 자양분을 공급해 주었다. 신문이 소중한 선생님이었고, 지금도 선생님이라는 사실을 지나치지 않고 있다.

2) 영어에 대한 흥미가 영어신문편집으로 이어져

중학시절에 시작된 영어에 대한 흥미는 고교시절로 이어졌다. 형님의 영향으로 주간지 Time, Newsweek를 읽는 습관이 몸에 베었다. 형님이 읽은 것을 받아 읽으면서 영어공부는 물론이고 국제정치·경제뉴스에 일찍 눈을 뜨게 되는 일석이조(一石二鳥)의 효과를 거둔 셈이었다.

USIS(미국대사관 공보원) 영어회화 클럽에 적극적으로 참여했다. 매주 영어토론에 참석해 영어로 발표하고 미국인 장교의 지도를 받음으로써 영어통용에 대한 두려움을 일찍 씻어내는 경험을 쌓게 되었다.

고1 때 우리나라 고등학교 영어신문의 효시인 Kyunggi Youth기자로 선발되어 고2 때 편집장으로 일하면서, 신문 제작에 지극정성을 쏟았다. 신문읽기도 쉽지 않은 영어실력으로 신문의 제작 책임을 맡는다는 일이 지금 기준에서 보면 상상하기 어려운 일이다. 그러나 이 과정을 통해 영어문장의 구성, 전개방식, 그리고 핵심메시지의 도출이 매우 중요하다는 사실을 깨닫는 계기가 되었다. 교과목 담당 선생님들은 신문 제작으로 출석하지 못하는 경우에도 전적으로 출석 처리해주는 특혜를 베풀어 주었다.

4. 경제적 불평등과 민족주의에 '때 이른' 호기심

– 나셀의 혁명론과 '결과의 평등'에 관심

고등학교에 들어가면서, 몇몇 사회과학서적을 접하게 되었다. 방과 후 도서관에서 대부분 시간을 보내면서, 학교 공부가 무료할 때 눈에 띄는 책을 골라 훑어보는 습관이 자연스럽게 평소 '머리와 마음' 속에 품고 있던 '지적 갈구'를 채워주었다.

사회화과정의 초기에 서울에서의 적응과 중학 입시 준비에 몰입했던 소년이 이제 고등학생이 되어 점차 삶의 본질과 사회현상에 관심을 보이게 되었다. 이러한 관심의 이면에는 성장하면서 보고 느낀 집안의 경제적 열악함에 대한 '이유 없는 좌절감'이 자리 잡고 있었다. 더 나아가서 초등학교 4학년 초 서울로 전학 와서 거주한 동대문 창신동은 그야말로 열악한 판자촌과 집창촌(옛, 창녀촌)이 밀집한 동네였다. 이런 참혹한 현실을 수년간 목격한 시골 소년은 어느덧 인간의 경제적 불평등과 사회적 모순에 일찍 눈을 뜨게 되었다.

고교 1년 시절, 이집트 나셀의 혁명기를 접하면서 '사회주의적 민족주의'에 관심이 꽂혔다. 영국 · 프랑스 세력을 몰아내 수에즈 운하를 국유화하면서 왕정을 폐지, 공화정을 수립한 이집트 청년장교단의 거사가 우리를 둘러싸고 있는 '민족적 · 시민적'굴레를 타파할 수 있는 방향을 제시하고 있다는 인상을 깊이 받았다.

PLO(팔레스타인 해방기구)의 창설과 아라파트의 등장, 유고슬라비아 티토 대통령의 비동맹정책, 베트남 호치민의 독립투쟁, 수카르노의 장기집권을 붕괴시킨 수하르토 장군의 쿠데타 등 개발도상국의 정치적 격동을 목격하면서, 관련 서적을 찾아 지적 호기심을 채우는데 그치지 않고 이를 자신의 가치 모색에 이념형적모델(ideal types)로 대입하는 상상의 나래를 펴곤 했다.

어느덧 인간 불평등의 기원과 이를 타파하는 현실의 제도장치의 실효성에 대한 호기심도 태동하기 시작했다. 빈곤을 타파하는데 무력한 기득 정치 권력의 한계에 공감하면서 서독의 사회민주주의 모델에 대한 애착을 떨치기 어려웠다. '기회의 평등'에 대한 주장을 기존 질서의 유지라고 평가절하하면서 평등의 본질은 보다 적극적으로 '결과의 평등'에 접근할 때 의미가 있다는 생각을 굳히기도 했다. 이때 형성된 마인드는 15년 후 교수생활에 접어들어서도 영향을 준 씨앗이 되었다.

15세 소년이 이와 같은 현대사의 격동과 불평등에 흥미를 갖게 된 것 자체가 의아할 수밖에 없었다. 아마도 초등학교시절부터 신문을 열독하고 대학 선배들이 읽을 책을 미리 접했고, 그리고 형님들로부터 국내 · 국제 정세에 관한 다이내믹한 흐름을 자주 경청했기 때문이었다.

5. 기존체제에 대한 간헐적 저항

– 교풍확립 집단행동과 3선개선 반대운동

경기고등학교는 유복한 학생들이 많았던 학교였다. 나는 하위소득계층에 속한 가정환경상 별도의 취미나 여가생활, 가족들과의 단란한 여행은 겪어본 적이 없었나. 바다를 처음 본 것이 고2 여름방학시절이었다. 오로지 수업 후 나머지 시간은 도서관에서 독서와 친구들과의 대화로 일관했고 유독 영어 연마와 신문읽기는 결코 등한시한 적이 없었다.

현실의 이슈에 관심이 많았던 탓으로 학업집중도는 중학시절에 비해 많이 떨어져 중위권 성적의 유지도 벅찬 상황이었다. 성적향상에 대한 의욕이 저하되면서 그 공백을 비(非)교과목 영역의 다양한 정치 · 사회 이슈에 대한 관심과 축적으로 메꾸었다.

고교시절, 담임선생님과 체육 선생님의 완력에 대부분의 학생들이 침묵으로 일관했다. 그러나 나는 좌시할 수 없다고 판단, 고1, 고2 학생들을 모아 교원들의 완력을 비판하고 시정할 것을 결의하는 소위 교풍확립 집단행동(demonstration)을 주도했다. 그런 일을 겪어본 적이 없는 선생님들이 황급히 사태를 수습했지만 여진은 계속되었다. 나는 주동자로 낙인찍혀 학교를 떠날 위기에 처했으나, 오히려 사태가 커질 수 있다는 학교리더십의 판단으로 수습되었다.

1969년 6월경, 3선 개헌 반대농성을 주도했던 경기고등학교 3학년 학우들. 앞줄 오른쪽이 필자, 가운데가 임지순 서울대 물리학과 명예교수, 왼쪽이 김태환 사장, 뒷줄 오른쪽부터, 강용현 (법무법인) 태평양 고문(前 회장), 최일송 前 루마니아 대사, 장낙인 前 방송통신심의위원회 상임위원, 채경호 사장. 사진에 나와 있지 않은 이주영(前 국회부의장) 학우도 반대농성에 적극 참여했다.

1969년 고3 시절, 3선개헌 반대운동이 전개될 즈음, 경기고등학교에서 고교 최초로 교실 몇 개를 점거하고 3선 개헌반대구호를 외치는 집단행동이 전격적으로 이루어졌다. 워낙 엄중했던 시절이라 이 사태를 접한 학교당국은 난리(?)가 날 수밖에 없었고 그 파장이 즉각 정부당국으로 퍼졌다. 몇 시간 후 수습되었지만, 이 일로 교장선생님이 문책을 받아 타 고교로 전출되었다. 나는 기획, 선언문 준비 등을 맡은 주동자로 학교를 떠날 처지였으나, 교장선생님이 책임지고 물러나며 관용을 베풀면서, 최악의 위기를 넘겼다.

고교 3학년 6월경은 곧 닥쳐올 대학입시에 만전을 기해야할 시점인데, 어떻게 공부는 뒷전에 놔두고 3선개헌 반대운동을 주도했을까? 독재에 대한 반감을 가졌다는 학생이었다는 사실만으로는 쉽게 설명이 될 수 없었다. 그렇다고 개인차원의 정치적 목표가 있을 수도 없었다. 아마도 감수성이 강한 열혈 소년이 국가정의에 반하는 장기집권에 반대의견을 표현해야 한다는 때 묻지 않은 동기에 기인한 것이었다.

6. 기대난망(期待難望)이었던 대학입시에 합격

1) 대입제도 개편으로 가까스로 서울대 지원

스스로 선택한 위기 상황을 가까스로 거치고 난 뒤 나에게 닥쳐온 난제는 바로 얼마 남지 않은 대학입시였다. 대학입시 몇 개월 남겨 놓을 때까지 본업과 거리가 먼 집단행동에 전념했음에도 대학입시에 좋은 결과가 나올 것이라고 기대하는 사람은 없다. 다른 가치 추구에 전념하느라 준비를 소홀히 한 것에 대해 당연히 코스트(cost)를 치루어야 했다. 그 코스트는 하향(下向)지원하거나 재수를 각오하는 것이었다.

당시 경기고등학교 학생들은 평균 이상의 성적이면 으레 서울대학교에 진학할 수 있다고 믿고 있었다. 이러한 전통에서 '낙오자'가 될 수밖에 없는 나로서는 어떻게든 대안을 찾아야 했다. 대안을 찾아야 하는 상황에 도달했다는 사실 자체가 스스로 자존심을 격하시키는 일이었다. 그러나 스스로 선택한 길로 인해 곤경에 처했으니 이제 우회해서 가야한다고 생각했다.

어떻게 하향 지원을 할 것인지, 고민하던 시점(1969년 여름), 문교부(현재, 교육부)의 대학입시 개편방안이 전격적으로 발표되었다. 그동안 영어 · 수학 · 국어 3개 과목만이 대학입시 시험과목이었는데, 고교교육 정상화를 위해 시험을 전 과목으로 확대한다는 것이었다. 지금 같으면 입시 6개월 전에 입시제도를 바꾼다는 것이 상상할 수 없는 일이다.

나는 속으로 쾌재를 부르지 않을 수 없었다. 취약한 수학과목을 사회 · 과학 · 제2외국어(독일어)로 보충할 수 있는 여지가 있어 합격가능성이 다소나마 높아질 수 있기 때문이었다. 평소 외국어공부를 취미로 삼았고 신문을 독파하며 교양서적을 가까이 한 것이 효자노릇을 할 수도 있다는 섣부른 낙관론이 침체되어 있던 입시준비생을 자극했다.

입사제도개편 발표 후, 당초의 하향지원 계획을 접고 서울대 지원으로 결심했다. 정치학과에 지원했는데 경쟁률이 9 대 1을 넘었고, 고교 2, 3학년 때의 부실했던 학업성과를 고려할 때 합격은 어렵다고 단정했다. 설령 전 과목으로 시험방식이 바뀌었다고 해도 상황을 역전시키는 것은 무리였다.

시험을 치르면서 6년 전 중학합격 후 다짐했던 '매사에 최선을 다해야 한다'는 각오를 실천하지 못했던 것을 후회했다. '실수는 반복

된다'는 말을 떠올리며 "최선을 다하지 못한 나의 과오가 반복되지 않아야 한다"고 스스로를 나무랐다.

2) 예상을 뒤엎은 합격

수학시험 주관식 다섯 문제 중 2개 반 정도만 손을 댔으니, 점수가 기껏해야 30점을 넘기기도 어려웠다. 수학점수 하나만으로도 합격과는 거리가 멀다고 예단했다. 시험 며칠 후 머리를 완전히 밀고 결의를 다졌다. 교재를 챙기고 책상을 정돈하며 내년도 재수 채비를 갖추었다. 당장 내년 입시를 준비해야 희망이 있다고 생각해 동대문 근처 독서실에 등록하고 공부하다가 저녁 10시경 귀가했다.

집에 들어서니 담임선생님으로부터 연락을 받은 가족들이 '서울대에 붙었다'고 환호했다. 전혀 예상치 못한 결과에 형언할 수 없는 환희에 빠졌다. 예상치 못한 합격은 분명 입시제도 변경이라는 선물의 결과였다.

가족들은 막내가 시골에서 올라와 재수해서 명문중학에 들어갔고, 6년 뒤 과외나 학원 한번 보내지 않았는데 제 발로 국립대학의 유수학과에 합격하니 대견스럽게 생각했다. 게다가 고등학교 들어와서 공부는 뒷전에 두고 본분을 넘어서는 이슈에 몰입하며 퇴학위기 등 위험천만한 상황을 겪었는데도 합격한 것을 접하며 '막내 녀석이 맹목적으로 동분서주한 것이 아니었구나'라고 안도의 숨을 쉬었다.

정규학습에 전념하지 않은 채 개인적 가치지향에 치중하면서 '혼돈'과 '파격'을 겪었던 고등학교 3년이 뜻밖의 결실을 맺었다. 이제 대학생활이 보다 격상된 가치실현의 단계로 이어지도록 새로운 차원의 번민과 동경의 교차점을 찾아야 하는 대학의 문에 들어섰다.

III

대학의 길 : 이상과 현실의 교차점

- 공적가치에 접근하는 공직의 길 -

1. 대학에 대한 낙관적 기대와 현실적 회의
2. 매너리즘에 빠진 학점이수와 다양한 학외활동
3. 전공에 대한 긍지 살리지 못한 안타까움
4. 냉엄한 현실 인식하며 좌표설정 번민
5. 번민 끝에 행정고시 준비에 몰입
6. 졸업 앞둔 시련의 삼중고(三重苦)
7. 행정대학원 재수 끝에 입학, 행정고시 세차례 도전 끝에 합격
8. 공무원 진입 후의 빛과 그림자

1. 대학에 대한 낙관적 기대와 현실적 회의

만 19살, 대학에 입학, 자유로운 생활을 영위하면서 목표를 향해 정진할 수 있다는 자부심에 부풀어 있었지만 차분하지 못하고 고조된 상태에서 분망한 나날을 보냈다. 인생이 어떤지, 그 속에서 자신의 현재, 미래가 어떤 모습일지 깊이 생각해볼 리가 없는 대학 신입생의 자부심은 전형적인 실즉허(實則虛)의 표본이라고 말할 수 있

다. 이제 중 · 고등 6년의 규율과 제약에서 갓 벗어난 19세 청년이 의연하게 자신을 관리하고 미래를 체계적으로 준비하는 것을 기대할 수 없었기 때문이다.

겉으로는 자부심이 넘치는 대학생으로 보이지만 내면적으로 자신의 존재가치와 역할에 대한 진지한 모색을 미룬 채 외형적 활동에 에너지를 배분하면서 미래가 순조롭게 전개될 것이라는 막연한 기대에 머물러 있었다.

막연한 기대에 머무는 시간도 오래가지 않았다. 학기가 지나갈수록 동분서주 분망한 생활 속에서도 '본질적 문제'를 어떻게 정립할 것인지 생각하는 시간이 많아져가고 있었다. 중 · 고교시절 떠올리던, "나는 어떤 존재이고 왜 존재하는지? 앞으로 무엇을, 어떻게 할 것인가"에 대한 번민이 보다 구체화되어 가고 있었다.

명문대학 학생이라는 피상적 자부심 이면에 가려져 있던 '현실에 대한 객관적 인식'과 '미래의 불확실성'은 그동안 그려왔던 무지갯빛 동경을 흐릿한 안개 속으로 빠져들게 했다. 그동안 품어왔던 미래에 대한 낙관적 기대가 한편으로 회의심을 유발한 채 냉엄한 현실 속에서 재정비되어 가고 있었다. 아마도 시골소년→미숙한 청년→성숙한 청년으로 진화하는 탈바꿈의 과정이라고 말할 수 있다.

2. 매너리즘에 빠진 학점이수와 다양한 학외활동

대학입학 후, 한두 학기를 보내면서 학교수업에 대한 흥미가 기대수준에 이르지 못했다. 대학에 오면 고등학교의 표준화된 주입식 수업과는 구별되는 무언가 높은 수준의 담론을 펼치고 새로운 지적 자양분을 섭취할 수 있다고 믿었는데 그 기대가 '허상(虛像)'에 가깝다는 사실을 깨달았다. 강좌만 본인이 선택할 뿐 강의 → 경청 → 시험으로 연결되는 수업에서, 무언가 심오한 것을 흡수하고자 하는 기대가 충족될 수 없었다.

수업을 계기로 해당 주제에 깊이 들어가 스스로 의미와 가치를 찾는 노력이 대학 교육의 기본이라는 사실을 간과했기 때문이다. 당연히 대학 수업에 대한 만족감이 떨어지면서 학점이수의 요건을 맞추려는 매너리즘에 빠졌다. 대학생 본연의 학과 전공 교육을 등한시하면서 학과 밖의 활동에 열정을 쏟는 아이러니에 빠지는 일이 비일비재했다.

그러다 보니 학교수업의 기본요건만 채우고, 과외활동에 주력하면서, 친교활동은 물론이고 학비조달을 위한 아르바이트도 빼놓을 수 없었다. 다양한 일을 하다 보니 매일 '과도한 고단함'에서 벗어나기 어려웠다. 어머니께서 나의 고단함을 걱정한 나머지 "대학 들어

1971년 겨울, 대학신문 기자시절, 조선호텔볼룸에서 개최된 서울대학교 동문모임에서 당시 고병익 문리과대학장(가운데), 서명원 사범대학장(후일 서울대 부총장, 충남대 총장 역임)과 환담하는 모습

가더니, 사업하는 사장보다 더 바쁘구나. 일을 조금 줄여라"라고 당부하시는 일도 있었다.

1학년 때 교양과정부 학생회장에 선출되어, 풀타임(full time)이상의 에너지를 쏟으니 학점이 2학년 진급을 위태롭게 하는 수준을 감내해야했다. 그러나 학생의 공통이익을 실현해야 하는 역할을 수행하면서 책임자의 자세와 소통의 중요성을 깨닫는 소중한 학습기회였다. 더 나아가서 선출직 자리가 '외화내빈'의 단면을 배제할 수 없다는 사실을 어린 나이에 일찍 간파하게 되었다.

대학 2학년, '대학신문' 기자에 지원해 취재 · 편집의 일을 맡았다. 고교시절 영어신문 편집장을 맡았던 경력을 되살려 대학의 다양한 기능과 실상을 이해하고 문장력을 향상시키는데 유익했다. 그러나 일주일에 이틀 이상의 시간 할애는 당연히 본업인 학과 수업에 차질을 빚는 대가였다. 대학 4년 중 한 번도 거른 적이 없는 아르바이트는 수입도 올리고 땀 흘리는 보람도 느꼈지만, 상당한 시간 소요로 '해야 할 일'에 대한 집중력이 떨어지는 부담을 안아야만 했다.

이렇듯 학생회, 교내외 특별활동, 학비 벌기로 관심이 분산되다보니 자연히 전공영역에 대한 탐구의지의 구심력이 희석될 수밖에 없었다.

3. 전공에 대한 긍지 살리지 못한 안타까움

– 기대와 현실 간 갭(gap) 못 메워

치열한 경쟁을 뚫고 천신만고 끝에 정치학과에 입학했지만, 준비과정에서 품었던 높은 기상을 펼치지 못했다.

1학년 시절 개론 수업을 들었고, 2학년부터 전공영역을 수강하면서 고교시절 품었던 소위 '제왕학(帝王學)'(?)의 현란함을 느낄 수 없었고 여러 사회과학 분과(分科)의 하나일 뿐이었다. 당연히 열혈(熱血)청년학도의 투혼을 북돋아 주는 강렬한 메시지를 익히고 국가비전실현에 투철한 미래청년인재의 길에 합류한다는 기대가 허상이었기 때문이다.

정치학과는 정치학을 학습하고 탐구하는 학문단위인데, 상당수 학생들이 미래지도자로서의 예지를 심고 역량을 키우는데 긴요한 과정으로 인식하고 입학했다. '학문으로서의 정치'와 '행동으로서의 정치' 그리고 이론과 실천은 구분되어야 함에도 이점을 동일시하거나 혼동하는 데서 오는 '인식의 오류'에서 나 역시 예외가 아니었다.

학문으로서의 정치학이 실제 정치현상처럼 다이내믹할 수가 없는 만큼 강렬한 흥미를 느끼기 어려웠다. 그러기에 학문지향의 몇몇 학우를 제외하고는 상당수 학생들이 고학년에 접어들면서 정치학을 기반(infrastructure)과정으로 공부하고 장래의 직업과 관련해서 고유의 영역을 개척하는 경향이 강했다.

사실상 무늬는 정치학과 학생이지만 내면적으로는 관심영역의 이중구조가 잠복되어 있었던 셈이다. 자부심을 갖고 정치학과에 입학했다면 전공과목을 깊이 파고들면서 보편적 틀과 현실에의 적용을 자발적으로 모색하는 적극적 학습에 매진했어야 했다. 그럼에도 기본적인 이해에 만족하며 학점취득 후 졸업하면 된다는 안일하고 소극적 태도에서 벗어나지 못해 바람직한 수준의 심도 있는 학업성취에 이르지 못했음을 아쉽게 생각했다.

4. 냉엄한 현실 인식하며 좌표설정 번민

– '허상 속의 나'에서 '현실 속의 나'로

3학년이 다가오면서 대학 졸업 후 진로를 어떻게 설정할 것인가의 번민이 머리를 떠나지 않았다. 1, 2학년 동안 특별한 비전과 구체적 목표 없이 시간과 에너지를 완전히 소진하면서 "앞으로 좋은 기회가 열려 있을 것"이라는 막연한 기대 속에 파묻혀 있었다. 아마도 출신고, 출신대학의 '희소성'과 그동안 쌓았다고 자부하는 기본역량을 과대평가한 나머지 원하는 방향의, 원하는 영역으로 나아갈 수 있다는 막연한 낙관론에서 벗어나지 못했기 때문이었다.

특히 고교시절부터 품어왔던 '권위주의 독재질서 타파', '경제적 불평등해소와 복지사회구현', '강대국 국제질서에 맞선 민족국가 지향' 등의 거대담론이 자신의 미래역할과 유관하다고 믿는 '개발도상국 청년학도 특유의 가치체계(?)'가 마음 한구석에 자리 잡고 있었다. 그러나 대학생활의 중반부를 넘기면서 그동안 품었던 막연한 낙관론과 '이념적 가치지향성'이 현실로부터 괴리된 허상(虛像)에 불과하다는 사실을 직시하기 시작했다.

출처 : 서울대학교 홈페이지

서울대 문리과대학(현재, 마로니에공원) 정문

1971년 10월, 위수령에 따른 문리과대학 휴업공고

물론 옳은 방향일 수 있지만 어디까지나 이상향적 차원의 추상적 미래의 그림일 뿐 자신이 주체가 될 수 있는 구체적 현실의 조건을 갖춘 것이 아니었다고 자각했다. 그야말로 이제 '허상 속의 나'에서 '현실 속의 나'로 탈바꿈해 가고 있었다.

진로에 대한 모색 과정에서 스스로에게 질문을 던졌다.

과연 내가 해야 할 일은 무엇인가?

내가 하고 싶은 일은 무엇인가?

내가 할 수 있는 일은 어디에 존재하는가?

과연 내가 본질적 역량을 갖고 있는가?

이러한 질문에 스스로 어떻게 응답해야 할지 막막할 수밖에 없었다. 차분히 자신의 과거를 돌아보고, 현재의 함량과 한계를 살펴보면서, 미래의 비전과 목표를 모색해야 했다. 모범답안은 존재하지 않지만 지속적인 성찰과 끊임없는 역량배양을 통해 가치창출에 기여하는 미래진로를 가시화하는 노력을 게을리해서는 안 된다고 다짐했다.

번민과정에서 이상을 품되, 그 이상에 접근하기 위해서는 구체적 현실을 중시하는 자세가 긴요하다는 사실에 다가서게 되었다. 현실을 냉정하게 파악하는 노력이 근원에 다가설 수 있는 출발점이라고 믿으면서 현실을 고착시키는 제약조건을 찾아내고 이를 개선 · 극복하는 것이 현실 속의 어려움을 점진적으로 치유하고 긍정의 미래로 나아가게 하는 힘의 원천이 된다는 점을 깊이 새겼다.

자신의 진로를 모색하는 번민의 시간에서 줄곧 고려하지 않은 변수가 있었다. 다름 아닌 '나 자신의 삶을 어떻게 꾸려나갈 것인가'였다. 어떤 가치를 추구할 것인지, 사회를 변화시키는데 나의 역할이 무엇인지에 대해서 곰곰이 생각을 가다듬으면서도 독립된 인간으로서의 삶을 영위하는 문제는 마치 나와 무관한 것으로 간주했었다.

3년차 대학생활을 보내면서 자신을 존립(存立)시켜야 할 주체는 바로 자기 자신이라는 '불변의 사실'에 어렵사리 눈을 뜨기 시작했다. 생활인으로서의 존재 의미가 미래가치를 지향하는 '거대담론' 못지않다는 사실도 서서히 깨우치기 시작하며 두 개의 접합점이 어디에 있는지 구체적 진로를 찾았다.

5. 번민 끝에 행정고시 준비에 몰입

2년간 분망한 대학생활은 자유를 얻은 새가 이곳저곳을 다니며 향유하다가 정작 둥지를 찾지 못한 채 방황하고 있는 양상이었다. 이제 둥지를 찾지 않으면 곧 닥칠 미래가 암담할 수 있다는 불안감이 사라지지 않았다.

3학년이 되면서 어떤 방향으로 미래를 설정하고 구체적으로 어떻게 준비해야 할지 마음을 정리하기 시작했다. 대학 생활과 사회생활이 교차되는 지점에서 활동할 기회가 있다 보니 현실의 냉혹함을 깊이 느꼈다. 나 자신이 가지고 있는, 그리고 가질 수 있는 역량에 분명 한계가 있나는 것도 깊이 깨달으면서 명문고교를 나와 명문대를 다닌다는 사실이 초래한 외견상의 '높아진 눈높이'와 '나약한 현실적 역량' 간의 괴리를 극복해야 미래가 열릴 수 있다고 믿게 되었다.

고민 끝에 전공과 유관하고, 그동안 품었던 목표에 다소나마 근접할 수 있는 영역은 바로 공직이라고 생각했다. 학문을 위한 유학의 길은 고려하지 않았고 민간기업에 취업하는 것은 지향하는 가치가 아니었다. 그렇다고 청년 시절부터 정치활동이나 사회활동을 할 공간과 용기도 없었다. 내가 가진 한계적 역량의 범위 내에서 기본을 유지하며 그나마 공적 가치를 추구할 여지가 있는 곳이 바로 공직이라고 판단했다.

공직의 길로 나서야겠다는 결심과정에서 가장 힘들었던 요소는 상당수 학우들의 곱지 않은 시선이었다. 의식화된 학우들 사이에 관료 지망을 체제에 순응하는 기득권 지향으로 바라보는 시각이 3선개헌 이후 70년대 초반 대학가의 지배적인 분위기였기 때문이다. 분명 이런 시각을 이해할 수 있었지만 현실 속에서 '나 자신을 찾아야 한다'고 마음을 굳게 먹고 민주주의를 염원하던 학우들과 다른 길을 걷게 되었다.

3학년 초반, 행정고시준비에 돌입했다. 학과수업, 도서관에서의 고시준비, 그리고 학생과외지도로 생활을 단순화했다. 교우들과의 친교는 물론이고 학외활동도 접고 최소한 5시간 이상 시험준비에 몰입했다. 2년간 도서관에 주말도 없이 9시 출근, 10시 퇴근, 수업시간과 식사시간을 빼놓고는 상근(?)했다. 도서관 수위가 잠시 자리를 비울 때 자신의 임무를 맡기기도 했고 학우들이 나를 만날 일이 있으면, 으레 도서관 내 나의 지정석 아닌 지정석으로 찾아왔을 정도로 자리를 지켰다.

정치학 본류에서 벗어난 분야를 독학해야 하니 적응기간이 필요했다. 꼭 해야 한다는 생각으로 꾹 참고 정독을 계속했고 6개월이 지나자 비로소 익숙해지기 시작했다.

항상 도서관의 같은 자리에 앉고 그 자리에 가방과 방석을 놓아두었으니 다른 학우들이 앉을 엄두를 못 냈다. 도시락은 매일 점심, 저녁 두 개를 싸가지고 다녔다. 더운 여름에는 반찬이 쉬기도 하고, 추운 겨울에는 도서관 식당에서 난로 주전자의 뜨거운 물에 밥을 말아 먹기도 했다. 그 와중에도 저녁 식사 후 당시 문리대(현재, 대학로 마로니에공원) 정문 앞 학림다방에 들러 클래식 음악 감상을 즐기는 것이 유일한 낙(樂)이었다.

시험 준비하면서 보람을 느낄 수 있었던 것은 행정고시 시험이 다양한 과목을 포함하고 있어 지루함을 이겨낼 수 있었을 뿐 아니라 사회과학 분야의 기초이론과 필수개념을 터득할 수 있는 기회였다는 것이다. 과목 하나하나가 공적 가치에 관심을 갖거나 그 방면에서 일하려면 필요한 내용을 포함하고 있었다.

<표1> 행정고시 시험과목 체계도(1975년 기준)

구 분		과목명
1차 시험 (4개 과목)		헌법, 민법총칙, 행정학, 영어
2차 시험 (7개 과목)	필수 (5개 과목)	헌법, 행정학, 행정법, 경제학, 재정학
	선택 (2개 과목)	정치학, 사회조사방법론

미국 유학시절의 학습과 심지어 교수로서의 강의 · 연구과정에서도 이 시절에 익힌 기본 필수지식이 큰 도움이 되었다. 박동서 교수의 행정학, 김철수 교수의 헌법학, 김도창 교수의 행정법, 조순 교수의 경제학, 김두희 · 배복석 교수의 재정학, 김해동 교수의 조사방법론, 곽윤직 교수의 민법총칙을 5회 이상 독파한 결과 교재내용의 상당 부분이 나의 기초지식 영역의 한 부분으로 편입되었다.

더 나아가서, 시험관련 과목의 교재를 접하면서 집중도를 높이고 읽은 내용의 요지와 핵심메시지를 도출해 내 것으로 만들어야겠다는 '정리습관'을 갖게 되었다. 각 과목 주관식 2문제가 출제되는 시험에 대응하기 위해서는 수동적으로 알아서만은 안 되고, 스스로 서술해야 되기 때문에 '읽으면서 즐기는 독서'로 만족할 수 없었다. 요지를 정리하고 핵심메시지를 자기 것으로 만든 후, 언제라도 표현해야 '지식의 주인'이 될 수 있다는 생각은 미국 유학시절 초기, 적응의 원동력이 되었다.

6. 졸업 앞둔 시련의 삼중고(三重苦)

– 연이은 행정고시 고배, '정시졸업' 좌절, 대학원 불합격

1) 행정고시 1차 실패에 이어 두 차례의 2차 실패

2년 가까이 행정고시 준비를 하면서 몇 차례 고배를 겪어야 했다. 3학년 말 처음으로 제14회 행정고시에 응시한 결과 1차 시험에 실패했다. 최초의 시험이라 미숙한 준비 탓으로 돌릴 수 있었지만, 1차마저 불합격했다는 치욕을 감내해야 했다. 4학년에 이르러 두 차례 2차 시험을 치루었지만 매번 한 과목씩의 과락으로 고배를 마셨다.[3] 졸업 전에 행정고시 합격 후 공직생활을 시작하겠다는 계획은 사라졌다.

한차례의 과락은 기존 교과서에서 접하지 못했던 경제학 주관식 문제 하나 (Harrod Domar성장모델) 때문에, 다음번 과락은 조사방법론 교수 사이의 용어(개념) 차이를 식별하지 못한 결과에 기인한 것이었다. 다음번 응시에 잘 대처하기 위해 보다 광범위한 교재를 통한 폭넓은 학습에 매진하겠다고 재차 다짐했다.

---

3 그 당시, 1년에 2회 행정고시가 치루어졌다.

2) 초과신청학점의 사후(事後) 무효화로 한 학기 졸업 지연

4학년 말 졸업을 3주 앞두고 졸업가운까지 신청한 상황에서 문리과대학 교무과로부터 학점 미달로 졸업이 안 된다는 청천벽력 같은 메시지가 날아왔다. 깜짝 놀라 교무과장 문상득 교수(영문학과)를 방문, 경위를 알아봤다. 당초 졸업이수요건을 충족한 것으로 학점 집계가 나왔지만 점검과정에서 마지막 학기 초과학점 신청이 발견되어 이를 무효화 했다는 것이었다. 졸업 사정 결과 24학점 신청요건인 직전 학기 평균 B학점을 넘기지 못한 것이 원인이었다. "그럼 학점 신청 시 22학점만 신청하도록 지도했어야 하는 것 아니냐. 이미 학점이 나왔는데 무효화시키는 것은 옳지 않다"라며 이의를 제기했다. 교무과장은 아랑곳하지 않은 채 2학점이 초과 취득 학점이라 졸업이 안 된다고 했다.

1, 2학년 때 학생회, 대학신문 기자 활동으로 학점이 변변치 못해서 이를 보충하기 위해 4학년 때 과목을 많이 수강해 성적을 올려야 했고 이를 위해 졸업을 앞둔 마지막 학기에 24학점(보통 매학기 22학점 신청)을 취득해야 했다. 졸업필수이수학점 160학점을 채웠으니 졸업에 차질이 없을 것으로 알고 있었던 것이 어리석었을 뿐이었다.

이미 졸업식 일자가 통보되어 우리 가족들 모두 졸업식장에 오겠다고 했다. 이 일을 어쩌나? 가족들에게 뭐라 변명해야 할지 정말 난감했다. "고시공부에 전념해야 해서 졸업식장에 안 가겠습니다. 하루라도 열심히 공부하겠습니다"라고 가족들을 설득했다. 가족들은 막내의 서울대 졸업식에 못 가게 되었다고 아쉬움을 토로했다. 끝까지 일관성 있게 "들뜬 분위기를 피해 하루라도 시험 준비에 전념하겠다"며 애써 태연했다.

학우들이 졸업하는 1974년 2월 26일, 대학 도서관에 나타나지 않고 중학교 재수시절 찾았던 남산도서관에서 온종일 독서에 전념하며 서글픈 하루를 보냈다. 다음 학기, 2학점을 더 따기 위해 한 학기 등록했고, 8월말 더운 여름에 후기(後期)졸업했다.

3) 낙관했던 행정대학원 입시 고배

4학년 2학기, 행정고시 준비를 계속하면서 공공부문에 대한 지속적 관심을 갖고자 행정대학원에 지원하기로 결심했다. 시험과목이 행정학, 정치학, 영어여서 웬만하면 합격할 수 있을 것 같았다. 정부에서 일하고 싶거나 일하고 있는 사람들은 으레 한 번 정도 행정대학원 입학을 생각해 보던 시절이었다.

하지만 문리과대학 졸업생이 행정대학원에 입학한다고 하면 마치 정도(正道)에서 일탈하는 것처럼 바라보는 묘한 시선이 있었다. 나는 일단 정부에서 일해야겠다는 결심을 굳힌 터이기에 아랑곳하지 않고 지원했다.

믿는 도끼에 발등 찍힌다고 시험결과는 불합격이었다. 경쟁률이 높았지만, 정치학과 졸업 예정자가 정치학 과락 때문에 불합격했다는 것은 수치심을 갖기에 충분한 일이었다. 그때 정치학 시험문제 중 하나가 '한국적 민주주의를 논하라'는 것이었다. 학부 때 배운 수준으로 답안을 작성했을 뿐 '한국적' 측면에 주목하지 않아 출제자의 기대 수준에 미달했던 것 같았다. 10월 유신이 얼마 지나지 않아 한국적 민주주의에 대한 관변(官邊) 학계의 논의가 무성했던 시절, 이 문제를 출제한 김운태 교수께서 민주주의의 토착화에 관한 주도적 연구를 진행하셨다는 사실을 나중에 알았다. 아마도 민주주의라는 보편적 개념에 '한국적'이라는 수식어가 붙여지는 것에 공감하지 않았던 수험생의 취약한 답안이 불합격의 원인이었다.

불합격했다는 사실을 누구에게도 알릴 수 없어 나는 대학원 입시에 대해 침묵을 지킬 수밖에 없었다. 그러한 와중에서 '합격했더라도 대학 졸업이 안 되어 어차피 입학을 못 했을 것'이라며 스스로를 위로했다. 결과적으로 일관성이 지켜지게 되어 차라리 다행이라는 자조적인 생각을 했다.

4) 맺음말, '실패는 자신으로부터 오고 더욱 강한 내성을 키운다'

대학을 4년 만에 졸업하지 못한 충격이 컸다. 경위야 어찌 되었든, 부실한 학업태도로 인해 졸업이 한 학기 유보된 데 대한 자책감으로 실의에 빠졌다. 여기에 그치지 않고, 앞으로 공직자 또는 예비공직자라면 거쳐 가야 한다는 '행정대학원'에 지원했으나, 불합격의 쓴잔을 마셨다. 1개월 사이에 2번의 좌절을 겪으니 대학 4년간의 자부심이 완전히 짓밟힌 심정이었다.

행정고시실패로 심신이 편치 않았던 시점에 악재가 겹치니 한동안 무중력상태를 벗어나지 못했다. 그러나 지나간 실패로 마음이 흔들려서는 안 된다고 마음먹었다. 실패의 원인은 바로 나 자신의 부실함에 있다고 확신했다. 또 다른 실패를 겪지 않기 위해서는 실패의 원인을 철저히 찾아내 그것을 개선 · 보완해야 한다고 믿었다. 모든 일을 성급하게 목표를 세우면서도, 심혈을 기울이지 않은 채 단기간에 성취하려는 '조급함'에서 벗어나 느긋하게 여유를 갖고 차분히 준비해야 한다고 거듭 마음에 새겼다.

7. 행정대학원 재수 끝에 입학, 행정고시 4차례 도전 끝에 합격

1) 공직의 길로 나아가는 첫 번째 기착점

행정고시준비에 전념하면서 대학원 시험에 다시 응시해 합격했다. 행정대학원은 대학 재학 중 번민 끝에 공직의 길로 나아가겠다는 결심을 실현한 첫 번째 기착지이었다. 이곳에서의 학습체험은 후일 공직진입과 유학의 길, 그리고 학문과 교수의 길로 향하는 등대였다. 대학원 입학 후 만 8년이 지나 교수로 부임하게 된 동경의 목표지이기도 했다.

공공부문의 이론과 정책을 연구하는 행정대학원에 합류하니, 대학시절의 분위기와는 사뭇 달랐다. 정부에서 일하기를 희망하는 다양한 학생들이 모였고, 선생님들의 강의와 학생지도도 '실사구시'의 색채가 강했다. 이곳에서 공공부문이론을 습득하고 잠재적 역량을 발굴해 대학시절의 공백을 메꾸어야겠다고 마음먹었다.

1975년 5월, 첫 학기 중간고사를 전후해 행정고시에 응시(17회)해 공직 진출 결심 후 만 3년 만에 합격했다. 가족들은 막내가 공주시골(우성면 단지리)에서 처음 배출한 행정고시 합격자라고 기뻐했다.

막상 당사자인 나의 마음은 비교적 담담했다. 3년간 전력투구 노력한 결과 패스(pass)에 대한 일정 수준의 기대가 잠복되었을 뿐 아니라 대학 졸업 후 '당연히 해야 할 일'을 했다는 일종의 '책무이행'이라고 인식했기 때문이었다. 그래서 그런지 '재수 끝에 경기중학 입학', '험로(險路) 끝에 서울대 합격'의 감동적 순간과는 다소 차이가 있었다.

2) 실패의 치유노력은 역량 보강의 기회

대학 3학년초 어렵사리 공무원의 길을 걷겠다고 결심해 행정고시 준비를 시작했지만, 이념적 지향이 강하고 사변적(思辨的) 논의에 빠져있는 정치학도에게는 낯선 도전임이 분명했다. 일정기간 집중적 노력을 경주하면 합격할 것이라는 나태한 마음가짐으로 인해 당연히 연이은 실패의 좌절을 겪어야 했다. 1차 시험에도 불합격하는 치욕을 겪었고, 졸업과 동시에 공직에서 일하겠다는 설부른 의욕은 좌절될 수밖에 없었다.

몇 차례의 실패를 겪으며, 해당 시험과목을 깊이 있게 탐독하면서 기초개념에 대한 분명한 이해와 현실적합성을 연계하려는 학습방식에 익숙해졌다. 다양한 학문영역의 습득을 통해 공공부문에 대한 이론적 · 실천적 이해의 폭과 깊이를 진전시킬 수 있는 더할 나위 없이 소중한 기회였다.

만일 쉽게 행정고시에 합격했더라면, 공공부문에 대한 본질적 이해가 설익은 수준에 머무른 채, 오만함에 빠질 수 있었을 것이다. 그러나 4전 5기의 좌절과 시련을 거치면서 거듭 자신을 되돌아 볼 수 있었다. 운이 좋아 섣부른 상태에서 성취를 이루는 것이 그 시점에서는 행운일 수 있으나, 후일 주어진 과업을 수행함에 있어서는 기반의 취약함이 쉽게 노정되고 자신에 대한 역할기대에 미달할 수 있다는 사실을 감안하면 길게 보아 기초역량을 쌓는 기회였다고 볼 수 있다.

이런 점에서 실패가 처음에는 쓴맛이지만, 실패의 원인을 분석하면서 자신의 취약점을 보강할 수 있는 '보약 섭취'의 기회라고 생각했다. 처음 실패했더라도 실패 후 역량이 보강된다면 실패는 처음 성취했다고 가정했을 때의 만족을 능가하는 가치 창출의 전환점이라고 생각하는 역발상(逆發想)의 지혜가 긴요하다는 점을 각인할 기회였다.

8. 공무원 진입 후의 빛과 그림자

1) 공직 진입의 자부심에 가려진 '체제 정당성'의 그림자

24세 청년의 공직 진출은 제한된 범위에서나마 '성취'의 뿌듯함을 안겨주었다.

첫째, 무엇보다도 보편적 공통이익 실현의 주체인 정부에서 일하게 됨으로써 대학시절부터 품어왔던 자신의 가치 지향과 유관한 진로가 마련되었다는 사실 자체가 평범한 일이 아니었다.

둘째, 대학 졸업 후 대학원 재학 중 직장을 구했고, 그것도 경쟁을 통해 제도적으로 보장된 공직에 진입하게 되었다는 사실에 뿌듯함을 떨치기 어려웠다.

셋째, 거대규모 조직의 중간단계 직위를 얻었으니, 열심히 근무하면 상위직까지 도달할 수 있다는 '상승욕구'에 점진적으로 다가설 수 있다는 기대도 마음 한구석에 자리 잡고 있었다.

이와 같이 공직 임용에 대해 나름대로 긍정적 의미를 부여했지만 이러한 자부심을 상쇄하는 또 다른 시각이 내재해있었다. 앞으로의 공무원생활을 어떻게 가꾸어 나가는 것이 학창시절 품어왔던 '가치 지향적 삶'에 근접할 수 있을까라는 또 다른 미래에 대한 번민에 잠기기도 했다. 이런 번민이 거두어지지 않았고, 가장 어려웠던 것은 직업공무원제도가 15년(1975년 기준)의 장기집권을 유지해온 권위주의 정치체제 속에 자리잡고 있다는 인식이었다. 직업공무원제도와 정치권력은 분명 구분되는 것이지만 궁극적으로는 권위주의 권력에 봉사해야 하는 한계를 무시할 수 없었다. 당시 통치 권력의 정당성 문제는 상당수 공직근무자와 공직진출 희망자의 내면에 '스스로를 정당화하지 못하는 번민'을 안겨주고 있었다. 나 역시 마음 한 구석에는 중 · 고교, 대학시절 지향했던 인간의 기본가치(예, 민주주의, 인권, 자유 등)에 배치되는 권위주의체제의 하위단위로서 공직을 수행하는 것이 과연 온당한 것인지에 대해 회의를 잠재우기가 쉽지 않았다.

정치이념의 문제와는 별개로 상명하복(上命下服)의 관료문화 속에서 가치의 선택에 주력하기보다 수직적 결정의 집행에 주된 역할이 부여되는 관료체제의 특성 역시 공직 진출의 내적 자부심을 상쇄해주는 요소의 하나였음이 분명했다.

2) 중앙공무원교육원 주제발표로 인한 면직위기 모면
– 새마을정신교육 비판에 원장의 격앙(?)된 퇴장

1975년 9월, 제17회 행정고시 합격자들은 대전 괴정동 소재 중앙공무원 교육원 '신임 관리자 과정'에서 공무원 교육을 시작했다. 4개월간의 합숙교육을 마친 후 전국 시, 군의 새마을 담당관으로 배치될 예정이었다.

10월 유신이 3년 정도 경과한 시점이어서 견고한 국가관의 정립과 '서정쇄신'을 주입시키는데 주된 교육목표가 있었다. 강의가 시작되기 전에 투철한 국가관과 새마을 정신을 고취시키기 위한 명상의 시간을 30분 정도 가졌는데, 이러한 분위기가 중견 공무원이 될 수습 사무관들에게 적절한지에 대해서 논란이 있었다.

당시 중앙공무원교육원은 김용래 원장(후일 서울시장 역임)이 책임을 맡고 있었는데 교육생들을 새로운 시대정신에 순응하도록 새마을운동 등 정신교육에 많은 노력을 기울였다.

중앙공무원교육원 수료시점, 교육생들의 종합평가회의 주제발표를 요청받았다. 아마 우수 성적으로 총무처 장관상을 받았고 얌전해 보이는 교육생이라고 생각해 안심하고 나를 불렀던 것 같다. 전체 교육생들과 교육원 간부들 앞에서 '행정고시 합격자의 교육에 대한 종합평가'라는 주제로 공무원 교육 방식의 문제점과 한계를 조목조목 지적했고, "공무원의 국가관과 공직자로서의 가치관이 보편적으로 정립될 수 있도록 교육의 전반적 개편이 필요하다"는 점을 강조했다. 특히 "정신교육의 일환으로 이루어지고 있는 새마을교육은 재고되어야 한다"고 말한 순간 교육원장이 자리를 박차고 회의장을 나갔다. 회의장이 웅성대는 분위기 속에서 교육원 간부들은 좌불안석이었다. 동기생들은 나에게 공무원 임용 취소의 불똥이 떨어질까봐 심히 우려했다. 삼삼오오 모여 징계 또는 퇴출 가능성에 대비해 대책을 숙의했다. 사실 엄중했던 그 당시의 관가 분위기에서 새파란 수습 사무관이 통치권력이 중시하는 교육 내용과 방식을 공개적으로 비판한다는 것은 상상하기 어려웠다.

다행히 지도교관이 경위서를 쓰고 문책 받으면서 그날의 일은 소동으로 끝났다. 사태가 수습된 후 동기생 친구는 "네가 그렇게 과감할 줄은 몰랐다. 여기는 상하질서가 엄격한 정부기관인데, 어떻게 최고위 책임자가 앉아있는 자리에서 그런 강한 톤으로 비판할 수 있나? 요즘 유신체제 하에서 서정쇄신 운동이 강화되고 있는 정부 분위기를 모르나?"라면서 공무원으로서의 절제를 당부했다. 당시의 엄중했던 사회 분위기 속에서 하극상으로 비친 천진난만한 행태를 너그러이 덮어준 김용래 원장께 깊이 감사했다. 몇 달 후 공무원으로 정식 임용되었다.

제 2 부

불확실성 속의 유학과 학문의 길

Ⅰ 상상할 수 없었던 '유학의 행운'

Ⅱ 유학의 외딴 길에서 새로운 적응

Ⅲ 열악한 여건 속의 '학문 매진' 선택

Ⅳ 장래 학문진로의 불확실성 타개 위해 꾸준한 대비

Ⅴ 3수(三修) 끝에 모교 교수채용

Ⅵ 교수의 긍지와 소명감

I

상상할 수 없었던 '유학의 행운'

1. 초임사무관의 '공무원해외유학제도' 입안
2. '유학제도 입안' 공무원이 최초의 유학 Ticket

1. 초임사무관의 '공무원해외유학제도' 입안

1) 갑작스런 담당 과장의 검토지시

1976년 6월, 충남 서천군 수습행정관(새마을 담당관) 실무수습을 마친 후 총무처(현재, 행정안전부로 통합) 사무관으로 발령받았다.

경제기획원 근무를 희망했지만, 총무처로 발령이 나면서, 의기소침할 수밖에 없었다. 첫 근무부서 인사국 교육훈련과는 공무원 교육훈련을 총괄하는 부서로서 의욕을 갖고 미래지향적 과업에 참여하고 싶었던 철부지 신임 사무관의 기대를 채우기에는 거리가 있었기 때문이다.

나름 최선의 노력을 다하면서 무료함을 달래는 와중에 윤창수 과장(작고, 소청심사위원장 역임)이 갑작스레 '공무원 해외 유학제도'

를 연구해서 도입 방안을 보고하라는 것이었다. 일감도 많지 않은 상태에서 새로운 제도 도입을 검토하라는 지시를 '뿌듯한 마음으로' 철저하게 이행했다.

그 당시 정부 차원의 공무원 해외 유학은 존재하지 않았다. 공무원 해외 파견조차 UNCTAD, 콜롬보 플랜 등 국제기구의 개발도상국 지원 사업(과학기술 국제교류협력 등)의 일환으로, 선진국에서 연수과정을 이수케 하는 수준이었다.

공무원 해외 유학제도를 탐색하느라 과학기술처, 경제기획원, 문교부(현재, 교육부)의 공무원들을 만났지만 '공무원이 무슨 해외 유학이냐?', '가당치도 않은 그런 제도를 연구한다고 다니느냐!', '해외 유학은 교수가 될 사람이 가는 것인데, 공무원이 해외 유학을 해서 무엇을 얻느냐' 등 대부분이 냉소적이었다.

그럼에도 불구하고 한 달 만에 '공무원 국비 해외 유학제도 도입에 관한 검토보고서'를 작성하여 과장에게 제시했더니, '이제 예산 따는 것이 문제인데...'라며 흐뭇한 표정을 지었다. 과장은 '공무원 국비 유학제도'를 도입할 강한 의지를 비추면서, 예산 확보를 위해 대통령 비서실의 전폭적 지원이 긴요하다고 강조했다.

2) 외화예산 확보가 관건

– 경제2수석의 흔쾌한 지원으로 성사(成事)

그 당시 외화예산 배정은 경제기획원 예산실이 아닌, 대통령 경제 제2수석비서관실 소관 사안이었다. 초임 사무관이 외화예산 확보를 위해 청와대 비서관을 면담해 공무원 국비 해외 유학의 필요성을 설명하는 만용(蠻勇)에 가까운 일마저 서슴지 않았다. 그 자리에서 공무원 해외 유학은 우리나라 공무원의 역량증대와 국제경쟁력 향상에 긴요하다는 점을 강조했다.

70년대 중반, 공무원 사회의 분위기에서 기적 같은 일이 일어났다. 착수한지 불과 6개월 만에 '공무원 국비 해외 유학제도'의 도입이 규정화되었고 다음해 예산에 반영된 것이다. 이 제도는 첫째, 공무원들의 석 · 박사 학위 취득을 위해 2년간 해외 근무를 허용하고, 둘째, 국내에서 보수를 그대로 지급하면서 학비 일체를 지원하는 것이었다.

1976년 하반기, '공무원 국비 유학생' 선발 공문이 각 부처로 시달됨으로써, 대한민국 정부수립 이후 최초로 공무원 해외 유학제도가 빛을 보게 되었다. 첫해에는(1977년), 중앙부처에서 사무관 · 서기관급 20명을 국비유학생으로 선정하고, 선발된 공무원에게는 왕복비행기 삯, 등록금 전액, 월별 생활비(하루 23달러 × 30일 = 690달러)를 지급하기로 하였다.

45년 전 일을 회고하면서, 어떻게 25살의 젊은 공무원이 '황당한 것으로 간주되던' 과장의 지시를 그렇게 철저히 이행해 새로운 제도를 시행하는 초석을 놓았는지 스스로 의아해할 수밖에 없다. 아마도 윤창수 과장님의 선견지명과 흔쾌히 예산배정을 결정한 오원철 경제2수석님의 견고한 비전이 없었더라면 '공무원 국비 해외 유학제도'는 몇 년 또는 십 년 뒤에나 빛을 볼 수 있지 않았을까?

2. '유학제도 입안' 공무원이 최초의 유학 Ticket
– 예기치 않던 미지의 인생항로

이제 공무원 유학제도 도입을 실무적으로 추진해 제일 먼저 그 사실을 알고 있는 나 자신이 당혹스러웠다. 유학제도 도입이 널리 알려지지 않은 시행 첫해라서 지원하면 유학 티켓을 따낼 확률은 매우 높지만, 과연 유학을 선택해야 할지에 대해서 아무런 결심이 서 있지 않았기 때문이다.

사실상 경쟁이 덜한 이 기회에 유학을 가고 싶은 생각을 접기가 안타깝고, 다른 한편으로는 2년 유학 가는 것이 직업공무원 경력에 도움이 될 것인지 확신이 서지 않았다. 고교 · 대학시절, 학문을 직업으로 삼겠다는 생각을 해본 일이 없으니 일반적으로 생각하는 유학과는 거리가 멀 수밖에 없었고, 그렇다고 이런 좋은 기회를 포기하자니, 아쉬운 마음을 금할 길이 없었다.

며칠간 고민 끝에 마음을 정리했다. "일단 서구의 선진문물을 체험하고 습득할 기회를 가져보자. 그러다 보면 앞으로 공무원 생활을 계속하는데 도움이 될 수 있고, 그렇지 않더라도 2년간의 해외 유학만으로도 미래가 나아질 수 있다. 내가 노력하기에 달렸다"라는 막연한 결심에 이르게 되었다. 소년시절 서구문명에 대한 막연한 동경과 '무언가 배울 것이 있을 것이다'라는 자기 확신이 유학회의론을 잠재운 것이었다.

'공무원 국비 해외 유학제도' 도입 결정의 잉크도 마르기 전에 유학생 모집 공고가 나왔다. 주저하지 않고 선발에 응모한 결과 예견한 대로 해외 유학 티켓을 거머쥐게 되었다.

미국 대학을 기준으로 9월 학기 입학을 위해서는 지원서 마감이 보통 2월~ 5월이다. 그런데 유학생 선발 공문이 연말에 송부되었으니, 이 공문을 받고 선발에 응모해, 선발되기까지의 시간을 고려하면 사실상 유학 준비를 했던 사람이 아니고서는 외국 대학으로부터 입학허가(admissions letter)를 받을 여유가 없었다.

1개월 속성 TOEFL 학원을 다니면서 수박겉핥기 식 TOEFL 시험을 치르고, 입학지원서를 낸 6개 미국대학 중 3개 대학에서 입학허가를 취득했다. 입학허가가 손쉽게 나온 것은 소속부서 장관의 추천서와 정부의 재정보장에 기인했던 것으로 생각했다. 1년 먼저 미국 프린스턴 대학에 유학 중인 이준구 고교 선배(경제학과 명예교수)가 추천한 뉴욕대학교(N.Y.U)에 진학하기로 결정했다. 그야말로 속성으로 준비한 유학이 나의 생애와 진로를 바꾸어 놓을 줄은 꿈에도 몰랐다.

참으로 아이러니한 일이다. 유학의 꿈도 꾸지 않았던 사람이 유학과는 거리가 먼 직종의 하나인 공무원의 유학제도를 입안하고, 구체적 목표에 대한 확신 없이 새롭게 도입된 제도의 첫 번째 수혜자로 유학을 떠나게 되었다는 사실이 우연일까?

Ⅱ

유학의 외딴 길에서 새로운 적응

1. 뉴욕에서 뒤늦게 철든 '학습태도'
2. 반년 만에 통계학 강의 맡는 희극(?)
3. 부족함 보완 위해 능동적 소통

1. 뉴욕에서 뒤늦게 철든 '학습태도'

- 벼랑 끝에 선 절박감으로 정신무장

1977년 7월, 김포국제공항을 출발하여 하와이를 경유, LA에 도착해, 다음날 뉴욕 케네디 공항에 당도했다. 미국 직항편이 없던 시절이라 뉴욕까지만 이틀이 걸렸다.

케네디 공항 상공에서 맨해튼 시내를 내려다보면서 초등학교 4학년 초 서울 유학의 시절을 생각하니 잠시 눈앞이 흐려졌다. 공주 촌놈이 떼를 써서 서울로 전학해왔는데 만 17년 만에 뉴욕 땅을 밟다니 감동을 억누를 수 없었다. 공항에 마중 나온 형님을 10년 만에 재회하니 감격의 눈시울을 제어할 수 없었다.

뉴욕 도착 3일 후 콜롬비아대학교의 영어연수 프로그램에 등록해 8주간 집중학습을 받은 후 9월 학기부터 N.Y.U에서 학업을 시작했다.

뉴욕대학교(NYU) 캠퍼스에 있는 워싱턴 광장(Washington Square Park),
뉴욕 맨해튼 5th Avenue 5번가.

유학 첫 학기부터 각오(determination)를 다졌다. 이제 모든 것을 근원적으로 새 출발해야 나의 미래가 있다고 생각했기 때문이다.

서울에서의 대학시절, 흥미 있는 주제에는 솔깃했지만 진지한 노력을 기울이지 못하면서 지루한 수업시간을 인내심과 의무감으로 이겨냈었다. 이런 해이한 자세로 인해 서울대학교에서의 학업성적은 한계 상황을 면치 못했음에도, 각성하지 못했음을 미국에 유학와서야 깨우치게 되었다.

뉴욕대에서 첫 학기 4개 과목을 수강하면서, 학습태도를 철저히 바꾸어야겠다고 결심했다.

첫째, 내가 수강한 과목을 한 학기 동안 마스터(master)해야 한다고 다짐했다. 확실히 배우고, 그것을 전달할 수 있도록 깊이 파고 들어가겠다고 생각했다. 만시지탄(晩時之歎)이지만, 강의를 듣는 것으로 만족하지 않고 '나 자신이 지식의 주인이 되어야 한다'는 믿음을 실천하고자 했다.

둘째, 철저한 예습을 통해 수업내용을 미리 파악하고 수업시간에는 그것을 확인한다는 원칙을 고수했다. 난생 처음으로 예습하고 수업에 들어가니 비록 영어 리스닝(listening)이 취약했지만 핵심을 파악하는데 도움이 되었다.

셋째, 예습 · 수업 · 복습과정을 통해 수업시간에 다루었던 내용을 점검 · 확인 후 요약정리하고 그 중 '내 것으로 만들어야 할 핵심명제'를 도출해 기록해 놓았다.

미국 대학에 입학하자마자 이렇게 학습태도가 바뀐 것은 이제 '벼랑 끝에 선 기분으로 공부하자'는 절박함에서 비롯된 것이었다. 그렇지 않으면 국비유학이라는 제도를 이용한 '무늬뿐인' 유학생으로 머무를 수 있음을 스스로 경계했다.

이제 정부에서 장학금을 받는 공무원 신분의 유학생일 뿐 아니라 유학제도를 입안한 공무원이 앞장서서 이 제도의 존재가치를 살려야 한다는 일종의 '소명감(?)'도 작용했다. 더 나아가서 학문 탐구에 대한 호기심이 서서히 자리 잡으면서, 매 과목 수강시마다 과목의 주제에 대한 이론적 탐구와 가치부여 노력을 게을리하지 않았다.

2. 반년 만에 통계학 강의 맡는 희극(?)

첫 학기에 '통계학'강의를 들으면서 '와, 통계학이 정말 흥미롭구나, 통계학이 여러 학문의 방법론적 영역이구나'라고 생각하니, 고교 · 대학시절 지루하게 생각했던 통계학에 대한 흥미가 새롭게 태동하게 되었다. 고등학교 시절 수학점수가 나빠서 어려움을 겪었는데, 통계학 수업을 열심히 듣다보니 주요과목(예, 재정학, 정책분석)의 이해와 논문작성을 위해서도 철저히 학습해야겠다고 다짐했다.

이런 마음가짐을 가지고 집중한 결과 A학점을 취득했다. 여기에 그치지 않고 행운이 뒤따랐다. 담당교수가 나를 불러 통계학 예비수업4 강의를 맡으라고 요청하는 것이었다. 깜짝 놀라, "저는 영어가 짧아 어렵습니다"라고 고사했더니, "Mr.오 실력이면 충분하다"면서 강의를 맡겼다. 유학 후 4개월 만에 비록 '예비수업' 코스라고 하더라도 짧은 영어로 강의를 한다는 사실에 나 자신도 믿어지지 않았다. 이 강의를 맡게 됨으로써 월 $300의 TA 수당을 받을 뿐 아니라 불안했던 유학 생활에 자신감을 북돋아 준 촉매제가 되었다.

이 소식을 전해들은 한국의 친구들이 "수학이라면 담을 쌓던 친구가 유학 가더니 통계학 강의를 한다니... 돈까지 번다니... 도대체 믿을 수 없네..."라는 반응을 보이기도 했다.

3. 부족함 보완 위해 능동적 소통

1) 강의핵심 요지, 담당교수의 감수 받아

미국에서 학업에 전념하는 과정에서 어려운 점의 하나는 취약한 영어실력이었다. 일상생활에는 큰 지장이 없지만 추상적 개념으로 이루어진 이론적 틀이나 접하지 못했던 사례 등을 파악하는 데는 늘 한계가 따를 수밖에 없었다. 듣기와 이해의 어려움을 물론이고 발표(presentation) 역시 제한된 어휘력과 문장 구사력이 평균 수준에 미

4 예비과목은 필수과목인 통계학 과목을 수강할 기본요건이 갖추어지지 않은 학생들을 위해 표준편차, 정상분포곡선 등 기본개념을 사전에 설명해주는 강의였다.

달했다.

수학이 활용되는 계량분야 과목은 그런대로 견디어 낼 수 있지만 이론, 사례, 사상 등 개념 중심의 비계량 분야는 남다른 노력을 기울여야했다. 이러한 한계를 극복하기 위해 핵심과목을 수강하면서, 담당교수와 정기적 서면(書面) 소통방법을 적극 활용했다.

학기 초 담당 교수에게 영어가 모국어가 아니어서 소통에 한계가 있음을 주지시키면서 매주 수업종료 후, 수업시간의 핵심주제를 작성, 정리해서 보내면 지적해 달라고 간청했다. 나의 요청을 접한 교수들은 예외 없이 흔쾌히 수용했다.

두 시간 강의 내용을 한 페이지로 요약, 의미 있는 명제를 도출하니 자연스럽게 이해의 폭이 넓어질 뿐 아니라 담당교수의 코멘트를 통해 의미(significance)를 철저히 확인하는데 큰 도움이 되었다. 사실상 담당교수로부터 '서신(?) 과외공부'를 받은 셈이었다. 어떤 교수 한 분은 20년 교수생활에 매주 요점정리해서 감수를 요청한 학생은 처음이라고 은근히 격려하기도 했다.

2) 서울대 취득학점 이적(transfer)위해 부원장과 과감한 담판

(1) 난색 표하는 부원장에게 서울대 학점이 수월성 강조

유학 1년이 지나면서, 미국 대학에서 대학 간 학점 이적(transfer, 타 대학에서 딴 학점을 현재 재학 중인 대학으로 옮기는 것) 제도가 활성화되고 있음을 알게 되었다. 이 점을 지나치지 않고 나와 관련된 문제라고 생각했다. 왜냐하면 서울대학교 행정대학원에서 이미 취득한 24학점을 지금 다니고 있는 뉴욕대학의 학적부로 이적함으로써 뉴욕대학 취득학점으로 간주 받을 수 있다고 예단했기 때문이다. 아마도 한국 유학생들의 경우 한국에서 취득한 학점을 미국 대학으로 옮기는 발상은 그야말로 생소한 개념이었다.

나는 학점이적제도가 존재하는 한, 아시아권 학생도 예외가 아니라고 믿었다. 주저하지 않고 교무담당 부원장(prof. Norton)에게 면담을 신청했다. 미리 "서울대학교 대학원 취득 24학점을 뉴욕대학으로 학점 이적할 의향을 가지고 있어 상의드리고 싶다"고 서면으로 면담 요지를 보냈다.

면담 당일, 부원장은 나를 반갑게 맞으면서 "학점 이적(credits transfer)은 미국 내에서나 영어권 대학 간에서는 유효하지만, 한국에서 취득한 학점은 대상이 아니다"라고 부드럽게 설명했다. 평소 신사로 정평이 나있는 이분도 이런 문제는 처음 접하는 것이라면서, "등록금에 여유가 없으면 등록금 면제 혜택도 고려할 수 있다"고 위로했다.

나는 배려에 감사드리지만, "대학의 학칙에 '타 대학에서의 취득학점을 옮겨올 수 있다'는 규정은 보편타당한(universal) 규칙이다"라는 점을 지적하면서 "여기에는 어떠한 예외도 있을 수 없다"고 주장했다. 내가 서울대학교 대학원에서 학점을 취득할 때, "미국(University of Minnesota)에서 박사학위를 취득한 교수들로부터 강의를 들었고, 교과목 내용도 이곳에서 진행되는 강의와 기본적으로 차이가 없다"고 강조했다. 부원장은 "강의 내용이 일정 수준 이상이라고 하더라도 미국의 제도적 맥락에서 다루지 않았을 것"이라면서 "영어가 아닌 한국어로 진행된 강의를 인정하는 것은 부적절하다"는 언급을 계속했다.

(2) 원로 보직교수에게 '미국교육의 보편성' 열변 토해 – "영어로 시험 보겠다"고 강변

나는 "교수님의 주장은 보편적 글로벌 가치를 지향하는 미국정신에 부합하지 않는 듯하다"고 강경한 어조로 대응했다. "만일 필요하다면 제가 수강했던 과목들을 대상으로 테스트 받게 해주십시오. 테스트 결과를 보고 학점 인정 여부를 판단해 주십시오"라고 요청했다. 그분은 나의 주장을 반박하기 어렵고 상당히 일리가 있다고 판단한 듯 잠시 후 나에게 악수를 청했다. "Mr.오가 요청한 24학점을 NYU학점으로 인정하겠다. 행운을 빈다"라면서 따듯한 격려로 면담을 마무리했다.

유학 온 지 얼마 안 된 아시아계 학생이 원로 보직교수를 상대로 30분 이상의 논쟁을 벌이는 일은 흔치 않다. 그것도 몇 년에 한 번 있을지 모를 외국 대학 취득학점의 이적 문제를 두고 아들뻘 나이되는 젊은 학생이 논리적으로 반론을 피우는 것은 무례할 수도 있었다. 그럼에도 그분은 내가 강조한 '미국 교육의 보편성'에는 더 이상 방어할 말을 잃어 본인의 입장이 흔들린 듯했다. 여기에 덧붙여 "취득한 과목을 대상으로 영어로 시험을 보겠다"라고 자신있게 대응하는 것을 오히려 대견스럽게 보았을 수도 있었다.

이런 담판을 거쳐 서울대학교 대학원에서 취득한 24학점이 그대로 NYU로 이적됨으로써 필수 취득해야 할 총 72학점이 48학점으로 줄어들게 되었다. 이로 인해 코스워크(course work)을 완수하는 기간을 단축할 수 있었고, 단축된 시간을 활용, 앞으로 유익할 것으로 예상되는 과목을 미등록 수강함으로써 그 과목을 익히되 결과적으로 등록금을 절감할 수 있는 부수적 효과도 거둘 수 있었다.

무엇보다도 소중한 것은 서울대학교 취득학점의 공신력을 미국대학에서 인정받음으로써 한국대학의 존재감을 확인했던 일은 아직껏 뇌리에서 사라지지 않는다. 아마도 서울대 · 뉴욕대(SNU-NYU) 석 · 박사 통합과정 제1호 수료자임이 분명한 듯하다.

3) 논문자격시험 일부 불합격에 이의신청 통해 구제
– '생명가치평가'의 중요성 외면해 불합격

박사학위논문을 작성하기에 앞서 박사논문자격시험(comprehensive exam)을 통과해야 했다. 보통 코스워크를 끝내고 이 시험을 치르는데, 신속히 자격요건을 충족하고 논문작성에 지체없이 착수하겠다는 의욕이 앞서 코스워크 도중 자격시험을 치렀다. 결과는 3개 분야 중 2개 분야는 합격하고 한 개 분야가 불합격되었다.

불합격된 분야는 정책효과분석(Policy Analysis)이었다. 당초 예상하지 못했던 시험문제가 나와 시험 치르고 난 후 불안한 느낌을 떨칠 수 없었는데, 결과는 예상대로였다. '인간생명가치를 평가하는 방법을 제시하고, 그 타당성의 근거와 자신의 입장을 밝히라'는 문제였다. 강의 들을 때, '인간의 생명가치를 계량적으로 평가하는 것'이 공공사업의 우선순위를 택하는데 있어 중요한 기준의 하나가 된다는 점을 간과했던 것이 화근이었다.

불합격 소식으로 상실감에 젖었지만, 용기를 내어 결과에 이의신청을 내기로 결심했다. 작성했던 답안지의 사본을 받아 읽어보니 디테일한 면에서는 부족한 점이 있었지만 대체로 흐름만은 제대로 잡았다고 느낄 수 있었다. "준비 안 한 것 치고는 그래도 신통하게 답안을 작성했구나"라고 독백했다. 심사숙고 끝에 내가 작성한 답안이 어느 정도 질문에 부합하는 방향을 잡은 것이라고 스스로 판단해 재심을 신청했다.

재심요구 사유서에는 "근본 취지를 이해했고 정책선택에 있어서 필요한 분석요건임에 틀림없다. 생명가치평가에는 해당 국가의 문화적 전통이나 경제발전 정도가 고려되어야 한다는 점을 강조한 답안이었다. 다만 구체적 사례연구의 제시는 기대 수준에 미달되었다"는 내용을 담았다. 나의 진의를 전달하고 부족한 점을 시인한 것이었다. 내심 좋은 결과가 나오리라고 기대하지 않았다. 이의신청이 거부되더라도 나의 부실로 인한 것이니 결코 실망할 이유가 없고 최선을 다했다고만 생각했다.

일주일 후 박사과정 행정실에서 집으로 편지가 도달했다. 편지를 열기가 두려웠다. 분명 재심결과 후 불합격 판정 소식일 텐데 이를 접하는 것 자체가 불안했기 때문이다. 편지봉투를 햇빛에 비쳐보니 편지 내용이 긴 분량이었다. 불합격 확인이면 편지 분량이 두세 줄 정도일 텐데, 반페이지를 넘는 분량인 것을 보니 희망이 있을 것 같았다.

즉각 개봉하니, '교수 3인의 재심 결과 불합격은 철회되고 합격으로 최종 판정한다'는 내용이었다. 순간, "무모한 것으로 보이는 시도도 지나쳐서는 안 되는 일이 있구나"라고 생각했다. 반신반의했던 자격시험결과가 예상외의 호쾌한 반전으로 이어지면서, 박사학위 논문작성은 더욱 속도를 낼 수 있었다.

이로부터 수년 후 서울대학교에서 '공공경제분석' 강의할 때 잊지 않고, 인간생명가치의 평가방법을 소개하고 그 중요성을 강조했다. 사실 인간생명을 어떤 수준의 가치로 평가하느냐에 따라 생명 관련 공공프로그램의 우선순위가 판별된다는 점에서 보건 · 복지 정책을 디자인하는 과정에서 매우 중요한 분석 수단이다.

특히 개발도상국에서 선진국으로 진입 단계에 있는 우리나라의 현실에서 생명가치를 높은 경제적 수치로 설정할수록 해당 사업의 우선순위가 높아져 그 사업이 채택될 여지가 높다는 사실은 정책입안 공직자들이 숙지해야 할 기본 명제라고 생각했다. 그러기에 박사학위 자격시험 실패와 재(再)합격의 반전을 통해 깊이 터득한 이 주제를 기말고사에 자주 출제했다.

Ⅲ

열악한 여건 속의 '학문 매진' 선택

- 어떻게 불확실성을 타개하고 자기모순을 극복할 것인가? -

1. 학습에 대한 자신감이 또 다른 번민의 씨앗?
2. 공직포기, 학문 전념키로 내면의 단안(斷案) 내려
3. 국비유학 2년 후 귀국, 공무원 사임
4. 부모님 집 팔아 유학비용 전액 환불
5. 요약 : 3년 반 기간의 희망, 불안, 좌절, 결단, 수습의 여정

1. 학습에 대한 자신감이 또 다른 번민의 씨앗?

- 학문에 정진하고 싶은 공무원 유학생이 직면한 자기모순

학기를 거듭할수록 대학원 과정을 원만히 마칠 수 있으리라는 자신감이 생겼다. '내가 강의의 주체가 되어야 한다'는 각오로 수업에 임하니 영어소통에 대한 불안감은 서서히 극복될 수 있었다. 핵심 주제에 관한 이해가 부족할 때는 담당교수와 면담과 서신형태로 적극적 소통을 시도했다.

한번은 '비용편익분석' 담당교수에게 서신형태로 질문을 했다.

Knickman 교수는 수업시간에 질문에 대한 답을 언급하면서 "이 질문에 대한 설명을 충분히 이해해야만 비용편익분석 설계를 할 수 있다"고 설명했다. 교수님의 고무적 코멘트(comment)에 내심 수업진행에 기여했다는 자부심을 느꼈다.

대학원 생활에 적응할수록 진로와 미래에 대한 번민이 싹트기 시작했다. 공부하는 것에 자신이 안 붙으면 당초 계획대로 소정의 과정을 이수하고 귀국하면 고민할 이유가 없었을 것이다. 그러나 체류 일년이 지나면서 공부에 재미가 붙고, 더 깊이 들어가고 싶은 의지가 생기면서 역설적으로 번민이 커지기 시작했다.

보통의 국비유학 공무원들은 소정의 과정을 마치고 귀국해 공무원생활을 계속하면 되니, 견문 넓히며 처음이자 마지막인 외국생활을 활력 있게 보낼 수 있었다. 그러나 마음속 깊이 학문에 전념하고 싶은 의지와 욕구는 나를 깊은 번민에서 벗어나기 어렵게 만들었다.

가장 큰 고민은 대학원에서 공부를 하고 있지만 현직 공무원이라는 사실이었다. 2년 동안 학업을 마친 후 당연히 귀국해 공무원을 계속해야 하는 현실적 제약조건은 분명 내면적으로 솟구치고 있는 '학문에의 정진'이라는 새로운 지향점과 양립될 수 없었다.

미국에 유학 오게 된 것도 정부가 해외에서 새로운 학문을 익히고 견문을 넓힌 후 귀국 후 공무원으로서 보다 나은 역량을 발휘하라는 취지인 것이 분명했다. 이러한 취지에서 새로운 해외교육훈련제도가 도입된 것임을 새삼 강조할 필요도 없었다. 어느 정도의 양립(兩立)이 가능할 수 있지만, 나의 목표가 학위 취득은 물론이고 계속 학문에 정진하는 것이었기 때문에 어정쩡한 상태로 '꿩 먹고 알 먹는' 식의 절충은 바람직하지 않다는 생각이 머리를 떠나지 않았다.

2. 공직포기, 학문 전념키로 내면의 단안(斷案) 내려

1) '공직 · 학문 병행은 자기모순'이라고 판단

두 학기 동안, 미국에서 학업에 전념하다보니 심경의 변화가 초래되기 시작했다. 역량 있는 공무원이 되기 위한 수단으로서의 유학개념에 머무를 수가 없었다. 이제 미국 유학이 학문 탐구라는 최종 목표에 이르는 단계의 중간목표로서 그 본질이 바뀌어 지고 있었다. 유학과정에 태동하게 된 깊은 번민을 어떻게 해서든 풀어야 했다.

정부가 제공한 유학의 공적 목표와 나의 개인적 목표가 충돌하는 자기모순 상황을 어떻게 극복할 것인가? 궁극적으로 나의 선택에 달린 문제였다. 주변의 선배와 가족들은 당초 미국 유학 취지에 맞게 2년 수료 후 귀국해 근무하다가 기회가 허락되면 휴직 또는 파견을 이용해 학위를 마치라고 권고했다. 나와 같은 조건으로 미국 체류 중인 동료 유학생 선배에게 나의 결심을 전했더니, 한사코 나의 선택을 만류했다. 그분은 "오 사무관이 박사학위를 마치는 것은 좋지만, 서서히 여유를 갖고 해라. 2년 유학을 마치고 귀국한 후 기회를 봐서 휴직을 활용하여 다시 학위를 끝내는 것이 좋다. 왜 공무원을 그만두고 학위에 집착하려 하느냐? 공무원과 학위 두 개 목표를 다 이룰 수가 있는데..."라고 조언했다. 그분은 필자와 같은 시점에 2년 공무원 유학 후, 귀국해 공무원으로 재직하면서 수년 후 박사학위를 취득했고, 후일 재경부장관과 총리를 역임하는 등 필자와는 달리 공직자의 길을 걸었다. 그분의 충고가 현실적으로 타당한 대안일 수 있으나 학문전념이라는 목표도 살리며 공무원의 지위를 유지하는 절충점은 일시적 미봉책에 불과하다고 판단했다. 미국 유학 목표가 아직도 학위 취득자체에 있다면 그러한 양립이 가능할 수 있지만 계속 '학문의 외길'을 걷겠다고 결심한다면 공직을 포기하고 미국에 남아 공부를 계속하는 것이 올바른 선택이라고 믿었다.

2) 생애에서 가장 값진 결심

– 40년 교수생활의 뿌리

몇 달의 번민 끝에, 공무원 생활을 접고 미국에 계속 체류해 박사 학위를 취득, 학문의 길로 나아가기로 결심하기에 이르렀다. '번민은 오래하되, 결심은 신속히 해야 한다'는 말대로 누구와도 상의하지 않고 단호히 결심했다. 이러한 선택 과정에서 발생하는 비용과 비난은 당연히 감수해야 한다고 생각했다. 아마도 뒤늦게 '학문추구'로 인생목표를 새롭게 설정한 것에 대한 당연한 대가라고 생각해야 했다.

미국 유학 1년 반 만에 학문에 전념키로 결심하고 나니 마음이 편했다. 이제 열심히 노력해서 수년 내 학위를 완수하고 교육 · 연구의 길을 걷겠다고 마음먹으니 박사학위 취득과 전공 영역에서의 역량 축적에 집중할 수 있었다.

지금 이 순간에도, 그 시점에 그렇게 어려운 결심을 전격적으로 쉽게 했는지 상상하기 어려울 때가 있다. 아마도 목표를 정했으면, 설령 그것이 수정된 새로운 목표라 하더라도 일관되게 추구하는 것이 자신의 선택에 충실한 것이라는 믿음이 견고했기 때문이라고 회고한다.

아마도 이때의 선택이 나의 생애에서 가장 어렵지만 값진 순간이었다고 회고한다. 만일 공무직을 유지한 채 학위를 완수했더라면 일관된 학문의 길을 걷기 어려웠을 것이라고 생각하곤 한다. 이때의 선택으로 40년 가까이 내가 원하는 분야에서 학문탐구에 매진할 수 있었던 것이라고 확신하고 있다.

3. 국비 유학 2년 후 귀국, 공무원 사임

1) 귀국 즉시, 사표 제출에 싸늘한 반응

정부의 해외교육 파견 조건대로 유학 2년이 경과한 시점에 귀국했다. 말이 귀국이지, 사실상 일시 귀국하여 사표를 제출하고 곧 미국으로 돌아오겠다고 믿었다. 미국에서 유지하고 있던 TA자리도 잠시 후 복귀하겠다고 언약하고 떠났다.

귀국해 총무처에 복귀하자마자 총무과장에게 사임의사를 표명하니, 펄쩍 뛰었다. "이왕 시작한 공부이니 박사학위를 취득하기 위해서는 사퇴가 불가피하다"고 읍소했지만 반응은 차가웠다. 사직 의사가 소문이 나자 상급자들이 나를 불러 사의를 만류했다. 사표를 수리하지 않고 사표 제출 자체를 무시하는 데는 분명 이유가 있었다. 내가 총무처 국비 유학제도를 추진한 장본인이라는 사실을 고려할 때, 나의 사표 수리는 공무원 국비 유학제도의 존재 의미를 반감시킬 수 있다는 우려 때문이었을 것이다.

귀국 후 6개월이 지났음에도 나의 사표 수리는 깜깜 무소식이었나. 미국에서 얻은 조교 자리도 더 이상 지체하면 잃을 처지였다. 가까운 동료 이야기로는 당시 심의환 총무처 장관의 순직으로 장관 직무대리를 하던 차관이 나의 사표 수리를 반대한다는 것이었다. 차관을 이해시키는 것이 급선무였지만 막상 뚜렷한 방안이 없었다.

2) 고교동문의 전격적 도움으로 극적 사표수리

– 사표수리 과정의 혹독한 시련을 '인과응보'라고 간주

출처 : 여주시청

[1979년 12 · 12사태가 발생한 날의 중앙청 앞] 중앙청에서 근무를 마치고, 봉천동 집으로 귀갓길에 한강대교가 봉쇄되어 귀가를 못하고, 인근 여관에서 묵었다.

갑자기 최고위 공직자를 부친으로 둔 고교 동창 최종석 학우(한국투자공사 사장 역임)가 '공부에 대한 나의 순수한 집념'을 어떤 경로를 통해서든 전달해 줄 수 있을 것 같았다. 1980년 1월, 직접 만나 사표수리가 안 되고 있는 상황을 설명했다. 그는 나의 진의를 이해하고 노력해 보겠다고 다짐했다.

바로 다음 날, 기적에 가까운 일이 일어났다. 정동열 대통령실 의전 수석비서관이 나에게 전화를 걸어와 무슨 어려운 일이 있느냐고 물었다. "현재 공무원의 지위를 유지하고 있지만 사임하고 공부를 계속하고 싶습니다. 그런데 6개월째 사표수리가 보류되고 있습니다"라고 답했다. 그분이 나의 진의를 전달했는지 몇 시간 후 총무처

차관이 나를 사무실로 불러 사표를 수리할 테니 열심히 공부하라고 당부했다.

4년 남짓 경력의 사무관이 이렇게 어렵사리 사표가 수리된 경우는 찾아보기 어려웠다. 유학경비를 반납하고 사의를 표명하면 당연히 수리하는 것이 원칙인데 '내가 소속한 부처가 관장하는 프로그램의 수혜자'라는 암묵적 이유를 제외하고는 사표의 거부 이유가 없는 것이었다.

오랜 기간 사표 수리가 표류되는 바람에 마음고생이 많았다. 일시귀국 상태로 돌아온 것이어서 임시거처에 머무르고 있었다. 6개월 이상 학업계획이 미루어지고, 대학에서 어렵사리 얻었던 TA자리도 잃게 되었다. 이러한 어려움도 결과적으로 내가 초래한 '인과응보'라고 생각해야 했다. 난관의 도래는 "내가 설정한 목표를 이제 더욱 값진 것으로 만들어야 한다"는 각오를 다지게 만드는 계기라고 확신했다.

극적으로 사표가 수리된 후 일주일 만에 다시 미국으로 떠났고 잠시 중단했던 학업에 전념했다. 이제 공무원 신분이라는 굴레를 벗어났으니 '자유롭게 내가 원하는 학문의 길로 정진해야 한다'고 다짐했다.

4. 부모님 집 팔아 유학비용 전액 환불

– 유학제도 도입 후 최초의 반환 사례

공무원 사표를 내면서 2년 유학 기간 동안 정부로부터 받았던 등록금과 생활비를 반환해야 한다고 생각했다. 그 당시는 국비 유학제도의 도입 초기라서 의무복무 기간과 유학비용 환불에 대한 의무가 완비되어 있지 않았다. 나는 규정의 존치여부를 떠나 더 이상 공무원 근무를 하지 않는 한 정부로부터 진 빚을 갚아야 된다고 생각했다.

문제는 정부에서 이런 일이 처음이어서 반환 절차와 통로를 책임 있게 안내해 줄 시스템과 담당 공무원이 없었다는 것이었다. 빨리 사표가 수리되어 출국하는 것이 급선무였던 나로서는 직접 반환 절차의 선례를 스스로 만들어 나갈 수밖에 없었다.

유학비용 반환에 대한 의지는 확고했지만, 반환자금을 어떻게 마련할지 막막했다. 방법은 단 하나 밖에 없었다. 나의 자산이 제로(zero)인 상태에서 부모님의 지원이 유일한 길이었다. 넉넉하지 못했던 부모님께서 가족회의를 열어 기거하는 단독주택을 매각해 아들의 환불금을 지급하기로 결심하셨다. "막내아들이 외국에서 공부를 끝내겠다는 의지가 그토록 강하니, 그 뜻을 밀어줘야 한다"면서 흔쾌히 집을 처분하셨고 그 돈의 상당부분을 총무처(총무과 경리계)에 납입했다.

공무원 유학제도가 생긴 이래 최초의 유학비용 환불이었다. 그것도 2년 사이에 상당 수준 오른 환율로 납부했다. 부모님의 용단이 없었다면 사표 수리가 지체되었거나 정부로부터 변상 요청을 받는 등 낯 뜨거운 상황이 발생할 수도 있었을 것이다.

유학비용을 환불하고 나니, 공무원 유학제도 입안→유학생 선발→2년간 유학→사표수리 · 변상완료로 이어지는 지난 4년간 격랑의 과정이 영화필름처럼 나의 뇌리를 스쳤다.

편안하고 안정된 길이 있음에도
나는 유독 나만의 길을 걷고 있다네...
그 길은 불확실한 미지의 길,
이미 외딴 길로 접어들었네,
뒤를 돌아보지 않고...

5. 요약 : 3년 반 기간의 희망, 불안, 좌절, 결단, 수습의 여정
– 역경이 미래의 '분화구'라고 간주

76년 중반, 공무원 유학제도를 입안하면서 미국 유학, 공무원 사직, 80년 초 학문 정진을 위해 다시 미국으로 돌아갈 때까지 3년 반의 기간은 나의 인생에 있어서 한편의 드라마였다고 해도 과언이 아니었다. 상상하기 어려웠던 새로운 제도도입을 위해 동분서주 했던 25살의 젊은 공무원이 유학길에 올라 자신의 신분을 간과하고 학문의 길을 걷겠다고 고액을 변상, 공무원을 그만둔 것은 그 당시 기준으로 만용(?)에 가까웠다.

<표2> '유학제도 입안'부터 '새로운 출발'에 이르기까지 여정

공무원 유학제도 입안	1976. 중반
↓	
유학생으로 선발	1977. 전반
↓	
서구문물에 대한 막연한 기대	1977. 후반
↓	
새로운 진로 모색	1978. 전반 ~
↓	
불확실성 속의 번민 끝에 결심	1978. 후반 ~
↓	
과감한 결단	1979. 후반
↓	
새로운 출발	1980. 초반

그 만용의 대가는 불안과 불확실성 그리고 관가주변의 냉소적 비판이었지만 대가를 치를 가치가 있다고 확신했다. 바로 '내가 추구하고 싶은 가치에 매진하는 것이 나의 존재를 확인하고 삶의 희망을 향해 나가는 것'이라고 생각했다.

만 25살부터 29살까지의 역경 아닌 역경이 바로 그 뒤 40년 학자생활을 지속하게 만든 '분화구'였다. 많은 사람들이 나의 선택을 무모하게 보았다. 나는 그들의 전망에 일응 수긍했지만, 반드시 그렇지만은 않다고 믿었다. 이제 나의 선택이 무모하지 않다는 것을 증명하기 위해 더 없는 에너지를 분출해야 했다.

Ⅳ

장래 학문진로의 불확실성 타개 위해 꾸준한 대비

1. 서언: 현실로 다가온 미래의 불확실성
2. 경제적 어려움의 극복
3. 학문적 정체성의 모색
4. 진로에 대한 불확실성 사전 대처

1. 서언 : 현실로 다가온 미래의 불확실성

6개월 만에 다시 뉴욕에 도착해 학업에 매진했다. 이제 아무런 굴레나 제약이 없고, 그저 열심히 교과 진도를 맞추고 학위논문을 완수하는 것 외에는 다른 생각에 잠길 일이 없었다. 100% 자유의 몸이 되었으니 힘껏 날개를 펼치겠다고 다짐했다.

늘 그렇듯이 견고한 다짐의 이면에는 새로운 불안감이 도사리고 있었다. 아무것도 손에 쥔 것이 없는 유학생으로서 어떻게 원만한 유학생활을 마무리하고 제대로 미래를 준비할 수 있을 것인지에 대한 불확실성이 서서히 현실로 다가섰다.

출처 : 유네스코 한국위원회 홈페이지

공무원 사직 후 뉴욕에서 학업을 다시 시작한 1980년 5월, 5·18민주화운동의 현장을 New York Times와 ABC방송을 통해 상세히 접할 수 있었다.

학문에 정진하기 위해 쾌도난마처럼 공무원을 사직하고, 유학비용을 환불함으로써 학문 정진의 길을 열었지만, 그 길 앞에는 또 다른 현실적 제약과 미래에 대한 불안감이 놓여있을 수밖에 없었다. 그동안 공무원이라는 방패가 있어 심리적 안정을 취할 수 있었으나 이제 아무런 정규 수입 없는 박사과정 학생에 불과할 뿐이었다. 종종 "왜, 어떻게 이런 길을 택했나?"하고 독백의 상념에 잠기기도 했다.

무엇보다도 집중해야 할 세부전공 영역과 박사논문의 주제 선택 등 학문적 정체성을 확립하는 문제는 한두 달 내에 해결될 일이 아니었다. 더 나아가서 학문의 길을 택했다고 하나, 학위를 마친 후 어떻게 진로를 찾느냐의 문제도 뇌리를 떠나지 않았다.

2. 경제적 어려움의 극복

– flea market 노점상의 추억과 '뉴욕한국'기자 체험

새롭게 뉴욕 생활을 시작하면서 가장 시급한 당면 과제는 생활비를 어떻게 조달할 것인가였다. 늦게 재입국하는 바람에 학교 일자리도 잃었고, 공무원을 사직했으니 월급이 존재할 여지가 없었다. 부모님들이 유학비용을 갚아 주신 후 근근이 살아가시는데 오히려 자식들이 도와드려야 할 형편이었다.

재출국 후 4개월 만에 첫아이를 갖게 되었다. 이제 세 가족을 꾸려나가야 하는 가장의 경제적 책무마저 무거워졌다. 어려운 상황을 타개하기 위해 학부 학생지도(tutoring), 주말 아르바이트, 공항출영 안내 등 기회 있을 때마다 궂은일을 마다하지 않았다.

그러던 중 안정된 수입원이 필요하다고 생각해 상당 기간 케네디공항 인근 경마장의 주말 야외시장(flea market)에 나가 저가의 잡화를 파는 노점상(peddler)을 해 생활비를 모았다. 어느 날 30도를 넘는 고온에서 10시간 이상 직사광선을 쏘이다보니, 얼굴에 화상을 입어 피부과 치료를 받은 일도 있었다.

주말 노점상을 하면서도 한 가지 원칙을 분명히 고수했다. 뙤약볕에 10시간 이상 일하다 저녁에 귀가하여 식사를 마치면 극도로 피곤한 상태임에도, 지친 몸을 이끌고 연구실 또는 도서관으로 가서 밤 12시까지 수업 준비와 논문 작성에 몰입했다. 이 원칙을 고수한 이유는 간단했다. 공부하기 위해 유학 왔는데, 생활 유지를 위해 돈벌이로 시간 보내면 유학 올 이유가 없는 것 아닌가? 그러니 돈 벌기 위해 시간 보낸 날일수록 반드시 학업의 성과를 거두어야 고된 일을 한 보람을 찾을 수 있다고 아전인수(我田引水)로 해석했다.

flea market의 뙤약볕에서 10시간 일하고 운이 좋으면 150달러를 손에 쥐고 돌아올 때 마음이 뿌듯했다. 한 달 생활비 800달러의 20%가 되는 수입을 하루에 올렸으니, 오늘은 저녁 후 흐뭇한 마음으로 공부에 집중해야겠다고 연구실로 향하던 기억을 지금도 잊을 수 없다.

수입은 제한되어 있는데 지출이 늘어나니 살림살이가 어려워질 수밖에 없어 부족한 생활비를 어떻게든 충당해야 했다. 박사논문이 진척되면서 다소의 여유가 생겨 한국계 신문사인 《뉴욕한국》에서 1년간 주요인사 심층면담, 그리고 《뉴욕타임스》, 《워싱턴 포스트》의 한국 관련 기사를 요약 · 게재하는 일을 맡았다. 도서관이나 연구실에 공부하러 나와서도 으레 한두 시간 신문을 읽곤 했는데 이제 신문 읽는 것이 소득원의 일부가 된 것이었다. 신문사 사주가 오전 근무를 허용할 때가 많아 오후 시간 논문 작성에 집중할 수 있어 학위논문 완성에 지장이 없었다. 그 당시 미국에서 비전아트 창시자로 세계적 명성을 떨친 백남준 작가를 만나 취재했던 일이 아직도 눈에 선하다.

3. 학문적 정체성의 모색

– 다학제적 배경하에 공공부문 재정(Public Finance) 정책에 집중

뉴욕대학교(NYU) 공공행정대학원(GSPA)은 공공부문의 다양한 정책과 행정을 다루는 소위 다학제적 교육단위였다. 기본과목을 수강하면서, 과연 어느 분야에 집중하는 것이 미래 진로와 전공 선택에 적합할지에 대한 근원적 고민에 직면하게 되었다. 석 · 박사 학위를 마치고 공무원으로 복귀하면 그렇게 심각한 문제가 아니지만 공무원을 사직한 채 '학자'의 길을 염두에 두고 학위를 완성해야 하는 상황에서는 중대한 선택일 수밖에 없었다.

학부 때 정치학을 전공했고, 행정고시 준비와 공무원 경력, 그리고 서울대 행정대학원 수학을 감안할 때 공공부문 연구에 초점을 맞추는 것이 누가 봐도 자연스러운 것이지만 여러 학문분야를 포함하고 있는 공공부문 영역 중 어떤 학문적 배경을 갖고 어떤 분야의, 어떤 정책수단을 주된 전공으로 삼아야 할 것인가가 관건이었다.

공공부문, 특히 정부 관리와 운영을 대상으로 한 보편적 이론 탐구만으로는 스스로의 경쟁력을 발휘하기 어렵다고 판단했다. 심사숙고 끝에 폭넓은 정부의 활동 중에서 재정 부문에 초점을 맞춰 정부의 목표 달성을 위해 재정(조세, 예산)이라는 정책수단을 어떤 방향으로 활용하는 것이 바람직한가라는 주제에 전념하기로 결심했다. 특히 개발도상국에서 탈피하기 위한 정부 역할의 진화를 뒷받침하는 재정정책의 변화에 연구의 심혈을 기울이기로 했다.

이 영역은 이론적 측면에서 재정학을 기본배경 학문으로 삼으면서, 정치과정 측면에서 정치경제학, 정책입안 측면에서 정책학, 그리고 집행 측면에서 행정이론 등 융합적 차원에서 접근할 때, 의미 있는 역할을 정립할 수 있다고 예단했다. 이렇게 결심하게 된 데에는

첫째, 공무원 경력으로 인해 재정의 실상을 접할 기회가 있었고,

둘째, "미래 학문 탐구를 위해 주력했던 기간이 짧아 순수 이론적 탐구에는 비교우위가 적을 수밖에 없는 대신 실천적 정책수단의 구사에 대해서는 나름대로의 경쟁력을 확보할 수 있겠다"라는 내면의 자부심이 작용했고, 셋째, "재정 분야에 특화함으로써 고유의 패러다임을 형성할 수 있겠다"라는 자신감이 배경에 깔려있었다.

4. 진로에 대한 불확실성 사전 대처

- 교수님들과의 능동적 소통 통해 예비 학자라는 사실 알리려 노력

박사논문 자격시험에 합격한 후, 논문작성에 혼신의 노력을 투입했다. 논문작성이 순조롭게 진행될 것으로 예견하면서 학위취득 후 어떻게 진로를 개척해 나갈지 내심 노심초사할 수밖에 없었다. 가족·친지들마저 학위 취득은 교수직 채용으로 연결되는 것으로 당연시하지만 현실은 그렇게 녹녹한 것이 아니라는 사실을 일찍이 간파하고 있었다. 누구나 원하는 대학에 자리를 구하는 것을 염원하고 있지만 교수채용이라는 관문을 통과하려면 여러 면의 필요·충분조건을 갖추어야 했다.

박사학위는 필요조건에 불과하다는 사실을 익히 알고 있었다. 우수한 논문을 완성해야 함은 물론이고 학문역량, 평판, 신뢰, 학맥 등 예측하기 어려운 기대에 맞추어야 충분조건에 근접할 수 있다는 사실을 직시하고 있었다.

나의 가장 큰 약점은 대학, 대학원 다니면서 학문하겠다는 생각을 해본 적이 없어 나를 잠재적 신규 학자로 간주하는 선생님들이 없다는 점이었다. 차세대 학자라는 존재감을 알리는 것이 무엇보다 중요했다. 이 점을 직시하고 유학기간 동안 어려운 여건임에도 매년 서울을 방문해 교수님들을 뵙고 미국 대학원에서 공부하고 있다는 사실을 알려드리기 위해 노력했다.

처음에는 생소한 제자가 찾아오니 의례적으로 인사를 받았던 교수님들이 매년 방문해 '전념하고 있는 분야와 학위 취득 전망'을 말씀드리니, 점차 반갑게 맞아주셨다. 장래 교직을 희망하는 잠재적 교육자(또는 연구자)라는 사실을 주지시키는 노력이 지속적으로 이루어진 결과 한두 해가 지나면서 원로교수님들이 미국 학회 참석이나 방문교수로 오실 때 나에게 연락하는 일이 자주 있었다.

근근한 살림살이에 서울을 임시 방문하는 것도 세심한 준비가 없으면 어려운 상황이었다. 한번은 특정 종교 모국방문단의 일원으로 무료로 2주간 서울방문기회를 활용하여 모교 교수님을 찾아뵌 적도 있었고, 어린아이를 동반, 돌봐주는 조건으로 비행기표를 얻는 희귀한 무료여행도 체험했다.

V

3수(三修) 끝에 모교 교수채용

1. '모교에 둥지를 트고 싶다'는 한줄기의 희망
2. 모교 교수님의 지원 권유에도 '한여름 밤의 꿈'에 그치고 말아
3. 원로 교수님께 귀국 인사한 것이 화근의 씨앗
4. 예상 밖의 재공모 소식에 '희망의 꿈' 놓지 않아
5. 예견된 두 번째 좌절과 3수(三修) 도전의 결실
6. 3번 시도 끝에 얻은 교훈

1. '모교에 둥지를 트고 싶다'는 한줄기의 희망

학위취득을 전후해 직장을 구하는 문제에 매진했다. 전공에 전념하고 학위를 취득하는 것은 스스로의 의지와 노력에 의한 것이지만, 전공과 관련된 직장을 구하는 것은 채용의 기회가 주어져야하고, 채용 주체가 선택해주어야 한다. 자신이 통제할 수 있는 변수가 없는 만큼 전망이 불투명하고 시운(時運)도 무시할 수 없는 변수이다.

하물며 사람들이 선망하는 대학에 교직을 얻는 일을 운명에 달린 문제로 여기는 경향마저 부인할 수 없다. 해당 전공 영역에 언제 결

원이 생겨 채용 공고가 나갈지, 채용의 세부전공 영역을 어떻게 결정할지, 대학에서 기대하는 경력과 연령은 어느 범위에 있는지 여러 요소가 불확실하기 때문이다.

박사학위 취득 직전 논문작성자(ABD student) 지위에서 미국 대학 두 곳에서 인터뷰를 했지만 불발했고, 세계은행(Young Scholar Program) 지원도 무위에 그쳤다. 학위취득 후 미국 대학에 자리를 잡으려는 노력을 배제하지 않았지만, 경력이 일천하다는 취약점은 물론이고 전공 영역의 특성과 '이질문화권에서 본원적 가치실현이 용이하지 않다'고 판단해 기회가 주어지는 대로 조속히 귀국하여 진로를 개척하겠다고 결심했다.

최종학위 마무리 단계에 들어서면서, 다양한 진로를 염두에 두고 있었지만 마음 한구석에 '모교에 둥지를 트고 싶다'는 한가닥 희망을 저버린 적이 없었다. 모교에 대한 집념은 나 자신의 내면적 한계이면서 동시에 많은 난관을 극복하게 한 무언의 힘이었다.

소위 명문 고등학교, 대학, 대학원을 나온 사람이 진로와 직장의 선택에 있어서도 그동안 품어왔던 내면적 자부심이 이어질 수 있는 진로를 기대하는 것 자체가 '오만함'으로 비쳐질 수 있다.

그러나 목표에 정진하기 위한 투혼의 동력원으로 작용할 수 있는 긍정적 측면도 간과할 수 없다. 특히 치열한 극기(克己)를 통해 성취를 이루어 내야 하는 학문영역에서는 그러한 자부심이 견고한 집념으로 이어져 새로운 가치지향에 기여할 수 있는 요소로 작용할 수 있기 때문이다.

2. 모교 교수님의 지원 권유에도 '한여름 밤의 꿈'에 그치고 말아

졸업을 앞두고 '장래진로'를 암중모색하고 있는 시점에 서울대학교의 은사 선생님으로부터 국제전화를 받았다. "곧 공개채용이 있으니, 신속히 서류를 준비해 제출하라"는 것이었다. 그 순간, 이제 기다리던 기회가 왔다는 흥분을 억누를 수 없었다. 바로 지원서를 준비하고 있는 와중에 다른 모교 교수님(당시 대학원장)으로부터 "공모절차가 진행되니 철저히 준비해 지원하라"는 편지를 받았다. 이틀 간격으로 두 분의 원로교수님으로부터 고무적 메시지를 받았다는 사실은 보통 일이 아니었다. 인사를 관장하는 현직 대학원장님께서 직접 안내를 해주시니 한결 고조될 수밖에 없었다.

우편접수가 일반적이지 않았던 시절이라 서류를 준비한 후 접수를 위해 긴급 일시 귀국하면서 5년 전 유학 떠날 당시의 흥분과 기대가 다시 재현되는 '숨 가쁜 시간의 흐름'의 경이로움을 잊을 수 없었다.

당연히 채용결정이 날 것으로 기대했고, 부모님들은 막내아들이 곧 교수가 되는 것으로 믿고 계셨다. 그러나 꿈에 부풀어 있던 풋내기 박사에게 청천병력 같은 낙마소식이 전해졌다. 상당한 수준의 기대를 품고 있었기에 소식을 접하자마자 안절부절했다. 모교에서 학문에 정진하겠다던 희망이 '한여름 밤에 꿈'에 그치고 말았다. 마음을 정돈한 후 다시 미국으로 출국했다.

3. 원로 교수님께 귀국 인사한 것이 화근의 씨앗

– '자업자득의 우(愚)' 통렬히 반성

얼마 후 신규 교수채용 과정의 속이야기를 듣고 나니, 이번의 낙방이 좌절이 아니고 내가 스스로 초래한 것이었음을 짐작할 수 있었다. 책임을 맡고 있는 교수님이 당초 나를 채용 우선순위로 꼽고 있었는데, 중간에 입장이 바뀌어서 나보다 10년 선배(국토연구원 근무, 후일 장관 역임)가 임용예정자로 결정되었다는 것이다.

입장이 바뀐 사유 중의 하나가 바로 '나의 처신'이었음을 알게 되었다. 공채지원을 위해 일시 귀국한 시점에 당초 지원하라는 연락을 주셨던 원로교수님께 "공채에 지원했다"고 귀국인사를 한 것이 화근의 출발이었다. 원로교수님이 원장 교수님께 "오 박사가 여러모로 좋은 후보이니 채용하는 것이 바람직하지 않겠느냐"는 의향을 전한 것이 오해를 초래한 것이었다. 이에 그치지 않고 학부 학생회장 시절, 학생처장을 맡으셨던 당시 이현재 부총장님(경제학, 후일 총장 · 총리 역임)께도 귀국인사를 드린 결과 그분이 직접 원장 교수님께 선의의 덕담을 건네셨다.

원장 교수님은 내가 채용되기 위해 이곳저곳 동분서주한 것으로 오해했고, 그러한 행태는 "젊은 교수지망생의 자세로서 바람직하지 않다"고 판단하신 듯했다. 일시 귀국하면서 원로교수님을 찾아뵙고 지원 사실을 전하는 것이 기본 예의라고 생각했고, 도움을 청하는 언사를 표명하지 않았다. 빛빛 원로교수님께서 나를 아끼는 마음으로 덕담을 해주신 것이 '의도적 유동(?)'으로 비추어져 격앙된 반응을 초래했다. 차라리 예의에서 벗어날망정 미국에서 우편으로 지원서를 보내는 것이 좋았을 것이라는 때늦은 후회를 했다.

실패를 겪으면서, 귀책사유가 나 자신에게 있고 '자업자득의 우(愚)'에서 벗어나지 못했음을 통감했다. 세상만사가 그렇듯이 예견하지 못했고, 의도하지 않았으나, "인사책임자가 나의 과실로 간주했다면, 그러한 과오가 반복되지 않도록 더욱 신중한 처신에 유념해야겠다"고 마음을 가다듬었다.

4. 예상 밖의 재공모 소식에 '희망의 꿈' 놓지 않아

1) 한국경제연구원 취업과 교수 재공모 기회

미국에 도착해, 실패로 인한 불안감을 가라앉히고 있는 시점에 전경련 부설 '한국경제연구원'에서 연구위원을 공모 채용하니, 관심을 가져보라는 조언을 받았다. 모교 진입에 좌절한 상태에서 일단 영구귀국해 적절한 자리를 알아보려는 시점이어서 출장 나온 '한국경제연구원' 부원장을 만났다. 30분 면담한 부원장이 채용의사가 있다면서 관심여부를 신속히 알려달라고 말했다. 일단 귀국해야겠다고 결심했고, 경제적 어려움도 타개해야 된다고 생각해 한국경제연구원 연구위원직 제안을 흔쾌히 수용하고 즉각 귀국일정을 확정했다.

귀국한지 얼마 지나지 않아, 모교 은사님으로부터 연락이 왔다. "지난번 채용이 무위로 끝나 그 교수자리가 다시 공석이 되어 6개월 후 채용공고가 나가니 다시 마음의 준비를 하고 있으라"는 것이었다. 공석이 된 이유는 당시 채용하기로 했던 임용후보자가 대학본부 심사에서 논문 충족요건에 미달되어 임용결정이 백지화되었다는 것이었다.

원하던 모교의 해당 전공 분야에 신규 교수가 채용되었기에 이제 다른 대안을 모색해야 한다는 생각이 가득 차 있는 순간 이 소식을 받으니 놀라지 않을 수 없었다. 그 충격은 나에게 새로운 가능성의 도래를 알려주는 희망의 불꽃이었다.

갑자기, 서울에서 새 직장근무를 시작하는 것과 모교 채용에 재차 응모하는 일이 동시에 이루어지는 아이러니가 만들어진 것이었다.

영구 귀국해, 집 구하고 이사 마무리하느라 눈코 뜰 새 없었지만, 직장근무와 교수공채준비 두 가지의 본업을 우열 없이 진행해야했다.

우선 한국경제연구원 조세 · 재정 연구실 연구원들의 연구과제를 조율 · 진행토록 하는 일이 결코 한가롭지 않았다. 설립주체인 전국경제인연합회가 기업이익을 대변하는 이익단체의 성격을 띠고 있어 對정부 정책건의의 이론적 배경을 산하 연구원에 주문하는 경우가 많았다. 공무원생활과 유학생활을 거치면서 재정 · 조세 이슈에 비교적 익숙했기 때문에 대응 · 처리해야 할 일이 많았다.

2) 주말 이용해 새 논문작성 전력 투입

퇴근 후에는 물론이고 주말에도 한결같이 연구원에 나와 곧 진행될 서울대학교 공채 지원 시 제출할 논문을 작성해야 했다. 미국에서 학위를 마친 뒤 즉시 지원할 때는 박사학위 논문만 제출하면 요건을 구비할 수 있었지만 학위 취득 후 6개월이 경과한 뒤로는 추가 논문을 제출해야만 했다. 3개월 동안의 집중적 노력의 결과, 「지방세입의 지역적 불균형에 관한 연구」를 완성하여 학회보에 기고, 게재가 이루어졌다. 며칠 후 학회의 신진학자 논문발표회에서 논문을 발표하라는 요청을 해 와 흔쾌히 수락했다.

학회 발표회에 참석했던 중견교수 한 분으로부터 긴급히 만나자는 연락을 받았다. 그분은 다음 학기부터 자신의 소속 대학에서 교수로 근무하지 않겠느냐고 나의 채용을 넌지시 제안했다. 감사의 뜻을 전하면서 현재 연구원에서 일한지가 6개월도 채 지나지 않아 상황이 어렵다고 파격적 제안을 정중히 고사할 수밖에 없었다. 통상적으로 처음 뵙는 원로교수가 교수채용을 언약하는 것을 고사한 데에는 '희망의 불꽃이 아직도 나를 인도하고 있다'는 믿음이 내재되어 있기 때문이었다.

5. 예견된 두 번째 좌절과 3수(三修) 도전의 결실

– 관악의 정기를 향한 희망의 불꽃이 타오르다

서울대학교의 두 번째 채용공고가 나왔다. 즉시 관련서류를 교무처에 접수했다. 다음날 대학원의 신임 원장님께서 급히 나를 보자고 하셨다. 그분은 "오 박사를 뽑고 싶은데 직전의 원장이 아직도 오 박사 채용을 유보하고 있으니, 이번에는 적임자가 없는 것으로 귀결될 가능성이 높다. 충분히 이해하고, 다음번 재공모시 지원하라"고 타일러주셨다. 신임 원장님의 솔직담백한 말씀은 더없이 소중한 힘이 되었다.

아들뻘 되는 30대 초반 젊은 박사에게 다음번 공모 시에는 우선순위를 고려하겠다고 편히 말씀해주시니, 마음속으로 '채용된 것과 같은 느낌'을 받았다. 원장님과 나눈 대화는 그 뒤로 누구에게도 언급하지 않았다. 예의 차리고 인사드린다고 원로교수님의 심기를 거슬렀던 첫번째 실패사례를 귀감삼아, 6개월간 철저히 준비해 지원하겠다고 답변 드리며 내심 흐뭇한 마음을 잠재우기 어려웠다.

얼마 후 두 번째 신규채용 공모결과가 발표되었고, 당연히 임용이 무산되었다. 이미 이 사실을 예견했기에 아무런 감정의 굴곡이 없었고, 오히려 6개월 후 철저히 대비해야 한다고 마음속 깊이 다짐했다.

2번째의 '좌절 아닌 좌절'을 겪은 지 6개월이 지나 서울대학교 교수 채용 공모가 나왔다. 3번째 공채공고를 보고 놀라지 않을 수 없었다. 지난번까지 모집분야가 '행정 · 정책학 일반'으로 아주 광범위하게 표현되었는데, 이번에는 '조세 · 재정정책'이라는 구체적 분야로 명시된 것이었다. 나의 박사논문 「부가가치세제 도입이 소득분배, 수출, 조세행정에 미친 영향에 관한 연구」가 모집분야에 적중한다는 점에서 한결 마음이 가벼워졌다.

몇 주 후 원장님으로부터 교수로 선발되었으니 열심히 하라는 당부를 받았다. 그 순간 눈물이 쏟아져 말을 할 수가 없었다. 미국 유학 시 간직했던 희미한, 그리고 숨결에도 흔들릴 듯한 희망의 불꽃이 만 6년 만에 강렬하게 타오르는 경이로움을 억제할 수 없었다.

6. 3번 시도 끝에 얻은 교훈

박사학위 취득자 누구에게나 '학문 정진'이라는 목표 정진을 위해 교수로 채용되는 것을 기대한다. 특히 모교 교수 채용에 대한 열기가 큰 만큼 경쟁이 치열하고 예측하기 어렵다.

처음에는 예견된 수순으로 진행되는 수월한 관문으로 생각했다. 모교 교수 진입에 대한 애착에 눈이 어두워 원로교수님의 천거 하나만으로 쉽게 교수가 될 것이라는 환상은 거품이 될 수밖에 없었다. 좌절을 맛보고 실의에 잠기기도 했지만 곧 평정을 찾았다. 기본 자격과 자질은 필요조건이고, 다수 교수들의 견고한 지지를 받아야만 교수로 진입할 수 있다는 지극히 당연한 사실을 깨닫게 되었기 때문이다. 설령 다수 교수가 지지하더라도 책임을 맡고 있는 원로교수가 개인적으로 부적격자로 판단한다면 기회는 사라지고 만다는 엄연한 현실을 분명히 인식하게 되었다.

고배를 마신 후, 한마디 불만도 언급 하지 않고 나 자신이 아직 자리를 채우기에는 부족하다고 생각했다. 언제 있을지 모를 다음번의 기회를 준비하기 위해 논문 작성과 강의 경력 쌓기에 주력했다. 첫 번째 좌절 후 두 대학으로부터 초빙기회를 얻었지만, 초지일관해야 한다는 일념 하에 관심을 분산시키지 않았다. 신중한 자세로 후일을 기약하는 과정에서 도저히 상상하기 어려운 재공모 기회가 열리면서 일말의 가능성이 엿보이게 되었다.

두 번째 교수 지원에도 쓴맛을 겪었지만 어디까지나 예견된 실패였고 세 번째 지원 기회가 도래할 것을 믿고 심혈을 기울였다. 3번째 지원에서 모교 교수임용의 영예를 얻었다. 보통 두 번까지 지원하는 경우는 있어도 세 번 지원 끝의 채용은 아주 희소한 사례였다. 값진 결실을 맺게 된 세 번의 과정을 겪으면서 몇 가지 교훈을 도출해보았다.

<표3> 3차례 교수응모의 계기와 결과

구 분	지원의 계기	결 과
제1차 지원(1982.6)	원로교수의 권고	예측하지 못한 좌절
제2차 지원(1982.12)	자발적 지원 + 원로교수의 인간적 조언	예견된 실패
제3차 지원(1983.6)	원로교수의 적극적 권고 + 자발적 지원	예견된 신임

첫째, 한번의 실패에 좌절해서는 안 된다.

어떤 목표에 도달하고자 할 때 늘 실패의 가능성은 상존하기 때문이다. 중요한 일일수록, 경쟁이 치열할수록 오히려 실패 가능성이 월등 높다는 사실을 인식해야 한다. 사실 실패가 일반적이고 성공은 예외적인 것이라고 말할 수 있다. 많은 사람들이 어린 시절 접했던 '실패는 성공의 어머니'라는 교훈을 알지만 내심 잊고 살아간다. 실패를 통해 자신을 새롭게 깨닫고 다음의 도전이 실패로 귀결되지 않도록 최선의 노력을 기울이는 자세가 보다 가치있는 삶에 다가서는 길이라고 믿어야 한다.

둘째, 실패의 원인을 스스로에게 찾아야 한다.

실패를 겪을 때 흔히 남의 탓, 상황의 탓으로 돌리는 경우가 많다. 실패의 원인이 자신에게 있음에도 실패원인을 남의 탓으로 돌리면 개선의 여지가 없다. 왜냐하면 문제의 핵심을 자신이 개선할 의지가 없으면 해결의 실마리가 없을 뿐 아니라 상대방 역시 변할 동기도 없고, 쉽게 변해주지도 않기 때문이다. 그러나 실패의 원인이 자신의 몫이라고 확신하면 그 원인을 치유하고 철저하게 개선하려는 노력이 분명 다음 기회의 긍정적 결과에 다가설 수 있는 동력으로 작용하게 된다.

셋째, 경쟁의 관문을 통과해 성취에 도달했을 때 '내가 잘나서 통과한 것이 아니고, 나를 선택한 기관이 필요하다고 판단해서 도달한 것'이라는 겸허한 태도를 간직해야 한다.

자신이 일정요건을 갖추고 일정 수준의 경쟁력을 갖춘 것이 사실이더라도, 이것은 어디까지나 '필요 요건'에 불과한 것이라는 인식을 지니고 있을 때 기관의 기대에 부응하는 역량을 개발하고 투입할 수 있는 선순환 에너지가 창출될 수 있다는 사실을 간과해서는 안 된다.

3번 도전해서 목표를 이룬 감사한 마음, 그리고 자부심과 책임감은 교직생활 30년 내내 교수로서의 소명감을 촉발시켜줌으로써, 지속적으로 '긍정의 길'로 나아가게 해주었다.

VI

교수의 긍지와 소명감

1. 대학의 신뢰에 '감사 · 헌신 · 겸손'으로 응답 다짐
2. 발상의 전환 시도
3. '교수는 강의준비가 최대의 학습이다'라는 믿음
4. 학생지도와 인간적 상담에 매진
5. '대학의 일'앞장서는 적극적 자세
6. 정책 네트워크(network)구축 모색
7. 미완(未完)에 머무른 가치지향의 책무

출처 : 서울대학교 홈페이지

1. 대학의 신뢰에 '감사 · 헌신 · 겸손'으로 응답 다짐

– 감격은 잠시 뿐, 책무와 성찰의 긴 여정 들어서

1983년 9월, 만 32살의 나이에 모교 교수로 부임했다. 5년 전 100% 불확실성 속에서 미국 유학을 떠난 지 만 6년 만에 염원하던 학문의 길에 접어들었다. 학문의 길에 들어서기까지 어려움을 극복하는 스스로의 노력 못지않게 많은 도움과 '설명할 수 없는 시운(時運)'이 뒤따랐음을 부인할 수 없다.

학부 시절의 나태했던 학습태도, 박사 취득 후의 일천한 교육 · 연구 경험에 비추어 모교임용은 분명 객관적 기준과 경쟁자의 시각에서 보면 과대평가된 측면이 없지 않았다. 일천한 경험과 검증되지 않은 한계역량에도 불구하고 미래의 가능성을 보고 채용한 모교 교수님들의 기대에 부응해야 한다는 '채무감(?)'을 느끼지 않을 수 없었다.

교수직이라는 명예는 일단 손에 쥐었지만 그것은 어디까지나 무늬에 불과할 수 있었다. 외견적(外見的) 명예는 멀리하고 참된 교육과 가치 있는 연구에 매진함으로써 존재가치를 입증해야 내가 진 빚을 갚을 수 있다고 생각했다. '나에 대한 기대'와 '내가 행하여야 할 실천' 사이의 간격을 메꾸는 일이 대학에 진 채무에 응답하는 유일한 길이라고 믿었기 때문이다.

신규 채용에 대한 감격은 잠시뿐이고 그 감격이 이어지기 위해서는 감사 · 헌신 · 겸손의 마음가짐을 늘 변함없이 다져야 된다고 생각했다. 많은 분들의 은혜에 힘입어 서울대학교 행정대학원에 심어진 씨앗 하나가 밀밭을 일구어낼지 아니면 자리에 온존(溫存)하는 교직자의 한 사람으로 머무를지, 새로운 불확실성과 도전이 외딴 길 앞에 놓여있다고 보았다.

국립대학 교수로서 정착하면서도 분명 미래의 가치실현 과정에서 불확실한 요소를 맞게 된다고 생각했다. 그러나 앞으로 맞게 될 불확실성은 그 본질이 달라졌다고 생각했다. 한마디로 내가 노력함에 따라 극복할 수 있는 불확실성이고, 극복을 하지 못하다면 전적으로 나의 책임이고 성찰과 쇄신을 통해 개선할 수 있는 가능성이 열려있다고 확신했다. 과거에 겪었던 불확실성과는 그 본질이 다르고, 전적으로 나의 몫이라는 점을 깊이 인식했다.

2. 발상의 전환 시도

– 자신에 대한 엄정한 질책

나에게 부여된 직책과 역할에 관한 한 더 이상의 기대 욕구가 존재하기 어려울 정도로 만족스러운 나날이 계속되었다. 이 과정에서 늘 뇌리를 떠나지 않은 것은 자신에 대한 '스스로의 질책'이었다. "직책과 역할 그리고 보수의 제도적 보장에 상응하는 '해야 할 일'을 제대로 하고 있는가?" 라는 질문을 자주 스스로에게 던져야한다고 생각했다. 제도적 보장을 당연시하면서 그 속에 안주하며 본질적 가치창출을 등한시한다면 무늬만 교수일 뿐 본질적 존재가치는 반감되고 교수라는 직책의 허명만 남게 된다는 사실을 깊이 새겼다. 자칫 '위선'과 '가식'의 함정에 빠질 수 있는 유혹을 경계했다.

스스로에 대한 엄중한 성찰이 긴요하다고 판단해, 교수로서 명심해야 할 '나만의 내면적 원칙'을 설정했다.

첫째, '해서는 안 될 일을 하는 것'이 범죄의 통상적 개념이지만, 지식인에게는 그 개념이 달라야 한다고 생각했다. 지식인을 자처하는 교수라면 '당연히 해야 할 일을 하지 않은 것', '보다 더 잘할 수 있는 일을 방관하는 것'조차 '옳지 않음'의 영역으로 간주해야 한다고 정의했다. 남을 해하는 것이 범죄이지만, 지적 자부심을 갖춘 학자에게는 교육과 연구를 통해 가치창출의 책무를 게을리 하는 것이 내면의 범죄일 수 있다는 발상의 전환을 다짐했다.

그러기에 주어진 책무에 최선을 다하는 것이 기본책무일 뿐 결코 자랑거리가 될 수 없다고 믿었다. 지식 · 지혜를 전달해야 할 교육자는 물론이고 정치적 · 경제적 강자(强者) 역시 이러한 발상에 익숙해져야 한다고 생각했다.

둘째, 교수로서 자신이 받는 진정한 보수는 월급봉투에 적혀진 보수가 아니고 자신이 창출한 가치증진의 몫이라고 생각했다. 근로의 대가로 보수를 받는 일반 근로자와는 달리 학문탐구와 교육을 통한 무형의 가치증진에 매진해야 할 교직의 도덕적 · 사회적 책무를 강조하는 '보수의 색다른 해석'이지만 대가에 연연하지 않는 교수의 진정한 권위를 암시하는 해석이라고 생각했다.

만일 교수로서 최선의 노력을 경주해 값진 미래인재를 양성하고 가치 있는 연구에 매진한다면 진정한 보수가 형언할 수 없는 수준이지만, 평균적 수준의 노력에도 미치지 못한다면 '최저임금 수준에 불과할 수 있다'는 엄중한 심판에 직면하고 있다고 생각했다.

3. '교수는 강의준비가 최대의 학습이다'라는 믿음

강의경력이 일천하고 전공영역에서의 핵심메시지 전달에 익숙하지 못한 초임 교수가 해야 할 일은 그동안 학습했던 전공영역의 이론체계를 재(再)학습함으로써 의미 있는 명제를 새롭게 도출하고, 현실적용 가능성을 탐색하는 것이다. 이러한 탐구노력을 기울이면서 '강의준비가 최대의 학습이다'라는 사실을 새삼 깨닫게 되었다.

수강생들에게 전달할 내용을 전달하다보니 과거에 수업 들었을 때와는 달리 주도적 입장에서 이론의 의미와 현실 적합성을 꿰뚫게 되었다. 이를 통해 핵심메시지와 잊어서는 안 될 주요 명제를 도출하고 이를 설명할 수 있는 관련사례를 발굴해 학생들에게 전달하는 강의방식을 일상화하는 노력을 기울였다.

이러한 방식으로 한 학기 4개 과목을 강의하려면, 절대적 시간이 부족했다. 이제 새롭게 독학(?)해야 한다고 마음먹고 주말에도 연구실에 나와 강의준비에 몰입했다. 강의준비에 몰입하다보니, 학생들에게 의미 있는 메시지 전달의 의무를 이행하는데 그치지 않고, 나 자신이 새롭게 배우거나 깨닫는 일이 많아지는 것을 체감했다.

몇 학기가 지나 이런 방식의 강의에 숙달되면서 몇 가지 평범한 원칙을 지켜야겠다고 생각했다.

첫째, 강의는 내가 아는 것을 전하는 것이 아니고, 학생들이 필요한 것을 전해야 했다. 그러기 위해서는 왜 필요한지를 확인하고 내가 아는 것이 극히 제한적이라는 점을 인정하고 이를 보강하려는 노력이 강의준비의 선결조건이라고 생각했다.

둘째, 이론과 실제는 따로 존재하는 것이 아니고 실제 현상을 설명하기 위해 이론의 존재 의미가 있다는 점에서 이론의 '현실 적합성'과 '적용가능성'을 학생들에게 전달해야 했다. 공공부문 교육 · 연구에 매진하는 행정대학원의 특성상 주요이론의 현실 적합성을 논하는 과정에서 사례연구를 원용하는 것이 긴요했다.

셋째, 매 강의시간마다 4 ~ 5개의 긴요한 핵심명제를 도출해 강의시간 말미에 학생들에게 전달해 각인시키는 노력을 기울였다.

4. 학생지도와 인간적 상담에 매진

교수생활에서 가장 만족스러운 것은 가르칠 학생이 존재한다는 것이다. 그러기에 강의를 준비하고, 강의하면서 새로운 것을 찾아내며 연구주제를 탐색할 수 있었다. 프랑스 철학자의 말대로 '학생이 나를 기다리고 있다. 고로 나는 존재한다'는 생각을 잊은 적이 없다. 강의에 전념함으로써 학생들의 지적역량 향상은 물론이고 고시준비 등 미래진로 모색에도 기여해야 했다. 이러한 과업이 나에게 부여된 소명(Beruf)이라고 생각하니 주저하거나 고단함을 느낄 수가 없었다.

행정대학원 학생은 다양한 학부 배경을 갖고 있어 각자 고유의 성취동기와 구체적 학업목표를 지니고 있었다. 이런 특성으로 인해 교수의 진로지도와 인간적 배려에 대한 기대가 높았다. 대학원 학생들의 사회화과정이나 지향성은 나와 유사한 면이 많아 보람을 느끼며 각별히 학생지도에 만전의 노력을 기울였다.

초임 조교수 시절부터, 수강하는 학생들과 중간고사 · 기말고사 이후 저녁식사를 함께 하면서 격려하는 자리를 마련했다. 매학기 15번의 공식 수업만으로는 인간적 유대감을 확인할 수 없다고 판단해 긴 시간의 환담시간이 결코 지루하지 않았다. 20년 가까이 만남의 시간을 지켜오다보니, 나이 50에 가까운 제자가 서울역에서 우연히 마주쳐 "20년 전 사무관 시절, 교수님과 저녁을 했는데 기억하시죠" 라고 인사하는 반가운 조우(遭遇)가 빈번했다. 나는 기억하지 못하지만 그 제자는 아직껏 기억하고 있는 것을 겪을 때마다 보람을 느끼지 않을 수 없다.

학생들에게 대학원에 들어왔으면, 분명한 목표를 세우고 외길을 걸을 것을 권했다. 세운 목표를 일관성 있게 추구하면서 냉철한 자기성찰을 기울이면 곧 목표에 이르게 된다고 자신감을 고취하는데 주저하지 않았다.

교수경력이 쌓이면서 인간적으로 가까워진 제자들의 인생 상담까지 맡는 일도 많아졌다. 취직시험에 응시할 때, 진로를 바꾼다거나 승진과정에 임했을 때, 그리고 배우자 등 가족과 관련된 사적 조언을 기대할 때마다 인생의 선배로서, 같은 시대를 살아가는 동지로써 마음을 터놓고 흔쾌히 마주 앉았다. 나로부터 상담을 듣고 싶어 한다는 사실 자체가 나를 신뢰하고 있기 때문이라고 생각하면 흐뭇한 마음이 앞섰다.

5. '대학의 일'에 앞장서는 적극적 자세

(1) 대학의 요청에 책임감 갖고 회의 안건 철저히 준비
– 개별이익과 공통이익의 조화가 핵심

교수생활 10년을 넘기면서, 대학의 각종 위원회나 대학본부의 과업에 참여할 기회가 빈번히 주어졌다. 행정대학원이 20명 안팎 교수 정원을 갖고 있어, 회의 호출과 참석 빈도는 거대 대학의 교수에 비해 월등 높아 다양한 참여를 가질 수 있었던 것도 소중한 기회였다.

조그만 전문대학원 소속 교수가 본부회의에 정규 멤버로 참석하게 될 때마다 자부심을 떨치기 어려웠다. "공대, 인문대, 사회대, 의대 교수들과 동렬에서 회의에 참석하다니...", "이 기회에 역할을 제대로 해서 소속 대학의 위상확립에 도움이 되도록 해야겠구나"라는 책임감을 갖고 참석에 응했다.

대부분의 회의가 대학 전체의 입장에서 조율하고 결론을 내리는 회의였다는 점에서 대학의 공통이익이 무엇인지, 어떻게 결론으로 도출되는지를 자연스럽게 학습할 수 있었다. 특히 개별 대학 또는 개별 학과의 부분적 이익이 대학 전체의 입장과 대치되는 경우 어떻게 개별이익과 공통이익을 조화할 것인가가 결론 도출의 핵심이라는 사실을 충분히 파악할 기회를 가질 수 있었다.

회의 안건을 미리 받아, 사전에 발언할 내용을 준비하는 노력을 아끼지 않았다. 생소한 내용이 있을 때면, 실무자에게 물어 핵심을 파악하고 결론에 이르는 발언내용을 요약 · 정리해가는 습성을 키워갔다.

주요회의에 참석해보니 안건을 파악하고, 결론의견을 준비해오는 교수를 찾기 어려웠다. 많은 분들이 회의석상에서 즉흥적 발언을 하고, 일찍 자리를 떠나는 일이 비일비재했다. 장시간 발언을 하는 교수들은 대개 소속 대학의 이해관계를 반영하는데 초점이 주어지는 경우가 많았다.

한번은 회의 종료 시, 회의를 주관하는 처장과 본부 간부 몇 분만 남고 마지막까지 앉아 있는 참석자는 나 혼자인 경우가 있었다. 처장은 혼자 남아있는 나를 저녁 자리로 초청해 격려해주었다. 아마도 그 자리에 참석한 각 대학의 대표들이 공무, 사무로 바쁘다보니, 2 ~ 3시간 회의에 끝까지 자리를 함께 하기가 어려웠을 것이다. 나를 끝까지 자리에 앉아있게 한 힘은 바로 '나를 초청한 데 대해 감사하고, 배울 기회를 놓쳐서는 안 된다'는 긍정의 힘이었다고 생각한다.

2) 긍정의 힘이 배움의 기회와 시야 넓혀줘

긍정의 힘은 자연스럽게 기본역량의 축적은 물론이고 다양한 사고와 의사결정의 우선순위 개념을 깨우치고, 실천과정의 중요성을 인식하게 해주었다.

첫째, 대학의 결정에 참여할 기회가 자연스럽게 주어지면서 대학의 공통 목표와 운영에 관해 눈을 뜨게 되었다. 이런 기회가 없었다면, 개인 연구실, 소속 학과 중심의 사고에 경도된 나머지 대학 전체의 일에 관심을 갖거나, 이에 기초한 기본역량의 축적이 어려웠을 것이다.

둘째, 대학의 결정에 다양한 참여 기회가 주어졌을 때, 적극적 자세를 통해 학습과 경험의 소중한 기회로 활용했다. 만일 소극적 자세로 임했다면, 일회성 참여로 끝났거나 역량의 축적이 이루어지지 못해 자신의 안목이 평균적 수준에 머무를 수밖에 없었을 것이다.

회의 안건을 접할 때마다 새로운 정보와 최종 결정과정을 이해하고 결론 도출의 의미를 이해하는 추가적 노력을 기울일 수 있었다. 무엇보다도 대학 전체의 공통 목표와 이러한 목표를 달성하기 위한 정책수단을 어떻게 결합하는 것이 바람직한지에 대한 체험은 사고와 행동을 성숙시키는데 도움이 되었다고 자부할 수 있다. 만일 이러한 기회가 없었다면, 평교수로서의 제약된 시각과 단순한 단일 목표 지향의 굴레 속에서 한계를 벗어나지 못했을 것이라고 생각했다.

셋째, 실천이 토론과 결정 못지않게 중요하다는 사실을 파악할 기회를 가지게 되었다. 좋은 결정에 이르기도 어렵지만, 결정을 실천하는 과정에서 반대와 난관을 어떻게 극복해 결정의 목표에 맞는 실효성 있는 결과를 이루어내느냐는 또 다른 차원의 과제라는 사실에 눈을 뜨게 되었다. 가령, 본부가 새로운 학과를 신설하기로 했다고 가정하자. 학과 신설을 결의했지만, 새로운 교수 자원 확보를 위한 교육부 · 기획재정부로부터의 추가 교원과 예산 확보, 교과과정의 편성, 새 학과가 들어설 공간과 시설의 확충 등 구체적 방안이 실행되어야만 소기의 목적을 이루게 되기 때문이다. 어떤 사안의 시작부터 종결에 이르는 각 과정마다 소홀함 없이 정성스러운 노력이 투입되어야 소기의 목표에 도달할 수 있다는 평범한 사실을 깊이 헤아리게 되었다.

6. 정책 네트워크(network)구축 모색

공공부문 인재의 양성과 정부의 정책연구를 위해 설립된 행정대학원의 특성상 정부와 정책의 실상을 파악하는 일이 중요했다. 예를 들면 재정학이나 재무관리론을 강의할 때, 보편타당한 재정이론 못지않게 우리나라의 재정제도와 재정운영현황을 가르쳐야만 학생들이 현직에 나가서 소임을 다할 수 있다. 전공분야에서 의미 있는 정책대안을 모색하는 연구를 심화시키기 위해서도 해당 부처의 정책포지션의 현주소와 지금까지의 변천과정을 상세히 파악해야 했다.

이런 점에서 행정대학원 교수는 각자 전공영역의 파트너 정부부처와 원활한 정보교류, 그리고 현재의 현황과 미래의 정책방향을 논의할 수 있는 장구와 소통이 긴요했다.

이런 점을 감안하여 전공과 관련된 주무부처 공직사들과 정책 네트워크를 구축하는 일이 긴요하다고 보았다. 혹자는 "대학교수가 학문연구에 몰두해야지, 무슨 관리들을 만나느냐"고 색안경을 쓰고 볼 수 있지만, 전공영역의 이론적 탐색을 도모하기 위해서는 현장의 정책형성과 그 집행을 꿰뚫고 있어야 했다. 특정 이슈와 관련해, 정부의 참여제안이 있을 때마다 그 부서의 핵심 담당자들과 토론과 협의, 정책대안의 제안과 평가 등 공통의 목표에 이를 수 있는

Think-Tank 네트워크의 형성에 주력했다.

미래지향적 성향의 관료들은 해당 영역에 관심을 가진 교수들과 교류를 가지는 것이 자신들이 관장하는 정책의 경쟁력을 높일 수 있다고 반기는 경향이 강했다. 새로운 구상을 모색할 때 이를 정당화할 수 있는 이론적 틀을 만드는 것은 학자의 몫이고, 현실적 제약조건(법령, 재원 등)과 정부의 미션(mission)을 알려주는 것은 관료들의 역할이란 점에서 학자와 유관 공무원간 정보 · 이론 · 정책의 공유 노력은 타당성 높은 최종 결론(정책방향, 정책대안, 집행방식 등)에 도달하는 지름길이었다. 나는 이러한 선순환 정책협의의 전통이 뿌리내려야 한다고 믿었다. 이를 통해 보다 현실설명력이 높은 강의를 진행할 수 있고, 새로운 연구주제를 능동적으로 모색, 제안하는 기회를 가질 수 있었다.

7. 미완(未完)에 머무른 가치지향의 책무

– 기존시스템 속의 '현실 적합성' 중시, '변화 지향'의 제약(?)

교수생활 20년이 다가오면서 교수 임용 때 다짐했던 책무와 소명감을 재충전하는 자기쇄신노력이 정체되어 가고 있었다. '중견교수'라는 모자가 씌어지고 다양한 학내외 관계가 형성되면서 초임교수 시절 품었던 강건한 기상의 열기가 식어지는 듯했다. 자만심을 경계했지만 어느덧 '정형화된 시스템' 속의 기득 권위에 순응하는 '소임에 충실한 교수'의 한 사람으로 자리 잡아가고 있었다.

강의 · 연구에 전념할수록 그 이면에는 채워지지 않는 빈 공간이 존재했다. 교수로서 전공영역의 기초 경쟁력을 확립하고 존재감을 유지하는 나날이 이어지면서 "나무는 보고 정작 숲을 보지 못하는"

양상이 굳어져 갔다. 기본책무에는 충실했지만 학자 고유의 가치지향노력은 미흡했기 때문이다. 현상에 대한 냉철한 진단을 토대로 미래에 지향해야 할 새로운 가치체계를 제시하고 전파하는 '고뇌에 찬 탐구 노력'이 학자로서 수월성을 가름하는 중요한 기준의 하나라는 점을 알게 모르게 간과한 결과였다.

학창 시절 그렸던 기존 가치체계의 변화를 도모하는 이념적 · 거시적 · 당위론적 차원의 탐구 의지가 둔화되면서 기존 시스템 내에서 점진적 변화를 유도하는 연구활동에 집중했다.

10여 년 이상 주력해 온 '자원배분의 적정화에 초점을 맞춘 재정제도 개편' 과업만 해도, 주된 테마인 '적정화'가 암시하듯 이념적 방향을 중립적 위치에 놓고 '현실 적합성'을 가치판단의 주요 기준으로 삼았다. '현실 적합성'을 판단기준으로 삼을 경우 '기존 시스템의 기존 이익'의 존재를 중시하고 '주된 흐름(main stream)'의 소재를 파악하면서 결정의 균형점을 찾는데 주력하는 한계에 직면할 여지가 높아지게 된다.

이러한 사고체계는 당연히 연구결과에 따른 정책제언에 혁신적 또는 파격적 효과를 가져올 정책 콘텐츠를 담기 어렵고 현실의 조건을 고려하며 점증적(incremental) 변화에 주력하는 정책제안으로 귀결될 가능성이 높다.

이러한 연구 성향은 '현실 적합성'이 인정되어 연구결과의 정책수용가능성이 높아진다. 반면에 근원적이며 신속한 변화를 지향하는 입장에서는 기존 질서에 대한 '순응과 타협'이 현실타파의 걸림돌이 될 수 있다고 비판할 수 있다.

기존 시스템이 추구하는 가치를 중시하는 학문성향은 자연스럽게 새로운 가치를 향한 변화 의지를 제약함으로써 초임 교수시절 다짐했던 소명감을 반감시켰다는 자기비판에서 자유로울 수 없었다.

제 3 부

상상하지 않았던 총장의 길

Ⅰ 20년 교수하며 '총장' 생각해본 적 없어

Ⅱ 어떤 계기로 총장 후보로 나가게 되었나?

Ⅲ 어떤 과정을 통해 자신감이 형성되었나?

Ⅳ '도전의 길' 열어준 다양한 참여 기회 사례

Ⅴ 위기와 좌절의 극복

Ⅵ 예견된 좌절(2006년)과 예상 밖의 과반(過半)(2010년)

Ⅶ 새로운 번민과 시련에 대한 다짐

I

20년 교수하며 '총장' 생각해본 적 없어

1. 교수직에 대한 애착과 만족
2. 불가능에 가까운 객관적 상황

1. 교수직에 대한 애착과 만족

20여 년 동안 교수직을 수행하면서 대학의 총장이 되겠다는 생각을 한 적이 없었다. 이유는 간단하다. 하나는 교수직에 만족했기에 다른 직책에 관심을 두지 않았고, 다른 하나는 나와 무관한 것이라고 생각했다.

대학시절 학문의 길을 생각해 본 적이 없었고, 공무원 재직 중 우연한 기회에 해외 유학 티켓을 따내 4년반 만에 박사학위를 취득해, 천신만고 끝에 모교 교수가 되었다는 사실은 나의 생애에 있어서 경이로운 선물이었다. 학자에 다가서기에 미흡한 수준이었음에도 미래의 가능성을 보고 채용해준 은사 교수님들의 은혜에 늘 감사했다. 이런 행운을 거머쥔 사람이 무슨 다른 직책에 관심을 가질 수 있나?

교수직에 대한 강한 애착의 결과, 교수생활 하루하루가 만족스러웠다. 오히려 나에게 주어진 소중한 책무를 소홀히 하지 않나 자책할 때가 많았다. 20년의 교수생활을 숨 가쁘게 보내면서 '무엇이 되고 싶다'라고 생각할 겨를이 없었고 대학의 중책을 맡고 싶다는 생각을 한 적도 없었다. 당연히 총장직에 대한 미련이 존재하지 않았고 나와 동떨어진 별개의 직책이라고 생각한 나머지 '가시권(可視圈)'에 접목된 적이 없었다.

2. 불가능에 가까운 객관적 상황

– 교수 25명에 불과한 '학부 없는 전문대학원'의 한계

2006년 당시 서울대 교수 1,733명 중 행정대학원 소속 교수는 25명(1.4%)에 불과해, 공대(301명), 의대(280명), 자연대(202명), 사회대(113명) 등에서 보면 그야말로 '미니대학원'으로 불리워질 정도였다.

이미 교수 직선제로 총장을 뽑는 전통이 수립된 서울대학교에서 고작 20여 명의 교수에 불과한 전문대학원 교수가 후보로 나설 것이라고 누구도 생각하지 않았다. 자신의 소속대학 교수 규모가 총장 선출에 있어 결정적 변수는 아니지만, 그래도 어느 정도는 되어야 최소한도의 지지기반이 가동될 수 있다고 믿기 때문이었다. 과거, 행정대학원 소속 교수 중 후보로 나서길 시도한 분이 계셨지만 실제로 가시권에 진입한 분은 없었다.

교수 숫자를 떠나, 학문의 정통성에 대한 눈에 보이지 않는 '폄하'가 존재하고 있었다. 학부가 없는 전문대학원 소속 교수가 대학을 대표하겠다는 발상이 존재할 공간이 없었다. 서울대학교 내 주요 단과대학의 구성원(특히 기초학문 분야)들은 행정대학원을 '변방의 야간대학원', '학문가치 추구와는 거리가 있는 전문공무원 양성기관'으로 간주하는 분위기가 존재했었기 때문이다.

정치학과 원로교수(후에 정계진출 하셨음) 한 분은 "행정대학원에서 관료를 가르치다보면 학문 발전이 어려우니, 소속 대학을 옮겨보라" 고 격려성 고언(苦言)을 마다하지 않았다. 아마도 행정대학원이 학문적 본류(本流)에서 거리가 있다는 평소의 시각을 표현한 것이었다.

II

어떤 계기로 총장 후보로 나가게 되었나?

생각도 하지 않았고, 가능성이 없다고 생각하는 상황에서 어떻게 총장직에 도전했는가라는 질문을 자주 받곤 했다. 이런 질문에 답하기 위해 교수생활 27년을 되돌아보면서, 어떤 동기에 의해서, 어떤 준비과정을 통해, 어떤 난관을 거쳤는지 정리하였다.

1. 개인적 성향으로는 도전의지 설명 어려워
2. 다양한 경험 통한 '사후적 자신감'과 '익숙해진 도전의지'

1. 개인적 성향으로는 도전의지 설명 어려워
– '선출직 공직'에 도전할 성향에 대한 자기진단

교수로서 소임을 다하며 만족해하는 사람이 어떤 동기에서, 어떤 계기를 통해 대학을 대표하는 공직에 관심을 갖게 되었나? 이러한 질문에 대한 해답을 찾기 이전에 '과연 대학을 대표하는 역할을 실행하는데 부합한 성향과 의욕을 가지고 있는지' 냉정히 짚어 보았다.

첫째, 무리라고 생각하는 일은 시도하지 않는 '합리적 사고'에 익숙한 '안정지향적' 성향이라고 스스로 생각한다. 이러한 성향은 '할 수 있는 일'에 대한 열의를 진작할 수 있지만, 궤도를 벗어난 모험적 일에 대한 도전유인은 약하다고 볼 수 있다. 평교수로서의 성취는 자신의 노력에 따라 좌우되지만, 총장직에 대한 도전은 투표자인 교수들이 결정하는 그야말로 불확실성이 매우 높은 모험에 해당되기 때문이다.

둘째, 자신에 대해서 냉정한 나머지 '했던 일의 결과'와 '할 일에 대한 기대'를 가급적 객관화 또는 최소화하려는 경향이 내재되어 있다. 최대한 노력을 기울이되, 그 결과가 긍정적으로 나올 것이라는 기대를 최소화하는 내면적 자기절제에 익숙하다. 예를 들면 내가 어떤 친구를 좋아한다고 해서, 그 친구가 나와 같은 수준으로 나를 좋아할 것이라고 단정하지 않고, 어디까지나 그 친구의 몫이지 내가 판단할 일이 아니라고 믿는다.

공통의 목표를 위해 어떤 일을 이루었다고 하더라도 시스템에 참여한 것으로 생각하고, 개인적 성과라고 간주하지 않는 경향이 강하다. 이러한 기질 역시 최종입장을 정할 때, 불확실성을 강도 높게 고려하는 나머지 신중한 결론으로 귀착되기 쉽다. 누가 봐도 객관적 상황이 불리한데, 그러한 불리함을 이겨내겠다는 '과용(過勇)'을 시도하지 않는 성향임이 분명하다.

셋째, 항상 '부족함을 안고 있다'는 믿음이 마음 속 깊이 깔려 있다. 부족하다고 스스로 생각하면서, 이를 채우기 위해서 끊임없이 노력해야 한다는 마인드로 이어진다. 어떤 하나의 목표에 도달하였다고 해도 곧 그 위치에서 부족함이 존재하면 그것을 다시 채우려는 의지가 자연스럽게 반복된다. 자연스럽게 '필요한 존재로 나아가야 하고', '더 잘해보고 싶은' 내재된 가치실현 욕구가 강한 편이다. 이런 자세는 새로운 목표를 세웠을 때, 마지막까지 최선을 다하는 밑거름이 된다. 그러나 결심에 이르기까지 결격요소에 대한 신중한 판단은 도전의지를 약화시킬 수 있다.

'합리적 사고', '안정지향적 패턴', '자신에 대한 엄중함' 등으로 표현되는 일련의 성향은 객관적으로 불확실성이 높은 도전을 억누르는(discourage) 요소일 수밖에 없다. 어린시절부터 형성된 '상승욕구'에 대한 내면적 동기는 불확실성으로 인한 두려움을 극복할 수 있는 암묵적 요소의 하나이지만, 가능성이 희박한 상황을 극복할 수 있는 원동력으로 작용했다고 설명하기에는 한계가 있다.

2. 다양한 경험 통한 '사후적 자신감'과 '익숙해진 도전의지'

스스로의 분석에 비추어 총장출마를 가능하게 한 원동력은 누구나 갖고 있는 '상승욕구'를 제외하고는 개인적 성향으로는 설명하기가 쉽지 않다. 그렇다면 직무에 만족하는 안정지향 성향의 교수가 총장직에 도전할 마음을 굳히게 된 동인(動因)을 어디에서 찾을 수 있을까? 명쾌하게 짚어낼 수는 없다. 구태여 추려낸다면, 하나는 교직생활을 통한 사후적 자신감, 다른 하나는 성장과정에서 형성된 '새로운 상황에서의 적극적 대응력'으로 꼽아보았다.

첫째, 20여 년의 교직을 거치면서 긍정과 능동의 자세로 다양한 경험을 축적하고 상당수 교수들과 공감대를 형성해온 노력의 결과로 이루어진 '사후적'자신감이었다고 볼 수 있다. 다양한 참여경험을 통해 '할 수 있겠구나'라는 잠재의식이 쌓여 자신감이 형성되고, 함께 일했던 동료들로부터의 신뢰가 자신감을 북돋아주는 선순환이 이어짐으로써 '할 수 있다'는 믿음을 심어준 것이었다.

둘째, 시골소년의 상경 → 재수를 거친 경기중학 입학 → 아슬아슬한 서울대학교 합격 →3번 도전 끝의 행정고시 합격 → 우연한 유학 기회 → 공무원 사직 후 박사 취득 → 삼수 끝에 서울대 교수 채용 →40대 후반 행정대학원장 취임에 이르는 40년간의 여정이 좌절과 번민을 거치면서 단계단계 목표에 이르게 된 과정에서 생성된 '익숙해진 도전 의지'를 꼽아볼 수 있다.

집약컨대 교수생활을 통해 형성된 사후적 자신감이 성장과정에서 축적된 강인한 도전의지와 결부되어 강도 높은 불확실성을 극복할 수 있다는 일말의 기대로 이어져 어느 순간 출마결심에 이르게 된 것이라고 진단할 수 있다.

낭만적으로 표현하자면, 고향 공주에서 먼 길을 떠나온 소년이 동경했던 미지의 세계에 대한 꿈의 종착지가 눈앞에 아른거리는 순간, 마지막 투혼을 불사르며 그곳에 당도해야 한다는 '설명할 수 없는 무엇인가의 이끌림'이 출마의 길로 들어서게 했다.

III

어떤 과정을 통해 자신감이 형성되었나?

---

1. 중견교수 시절, 대학 목표에 대한 관심의 지평 넓히게 돼
2. '행정대학원장' 체험이 '격상된 자신감' 불러일으켜
3. 참여 통해 '소수'라는 강박감에서 벗어날 수 있어
4. 교수 내면에 자리잡은 총장에 대한 '기대의 이중성(?)'극복
5. 동료 교수들의 신뢰와 총장의 권유(?)가 용기 북돋아

---

1. 중견교수 시절, 대학 목표에 대한 관심의 지평 넓히게 돼

출마결심은 갑작스럽게 어느 시점에 이루어진 것이라기보다는 상당한 기간을 두고 자신감을 쌓아가면서 순차적으로 이루어졌다.

<표4. 자신감(자부심) 영역의 변화> 에 정리된 바와 같이, 10년여의 평교수 초반시절, 자신이 설정한 기준에 의거, 교수 본연의 책무에 매진하면서 평범한 자부심을 품게 되었음은 특별히 강조할 필요도 없다.

어느덧 교수생활 10년이 지나 중견교수로 일컬어지는 시점에 이르러, 자연스럽게 연구실을 넘어선 대학의 일에 참여할 기회가 부여

되면서 대학의 '공통이익'과 운영에 눈을 뜨기 시작했고 특유의 호기심으로 인해 열의를 갖고 참여했다.

<표4> 자신감(자부심) 영역의 변화

시 점	범위	의미와 역할
평교수 초기	교수 책무에 대한 자부심	강의 · 연구 매진
중견교수	대학의 일에 대한 호기심과 막연한 자신감	기본역량의 학습과 경험, 부분적 기여
보직교수	범대학적 차원의 역량축적에 대한 자부심	종합적 문제해결의 대응과 경험, 종합적 가치창출
잠재 후보	교수들의 신임	신뢰기반, 공감대형성 대학의 비전과 총체적 발전

다양한 참여기회를 통한 학습과 경험은 '전공분야에서의 교육 · 연구'에 매진하는 '교수 본연의 책무' 못지않게 '대학의 보편적 이익 실현'에 관심을 갖게 되는 계기가 되었고, 대학의 공통 목표 실현에 기여할 수 있다는 막연한 자신감이 생기기 시작했다.

대학의 실상을 이해하고 공적 체험을 겪으면서 대학 전체 차원에서 소임을 다하는 것도 대학 구성원의 한 사람으로서 중요한 역할의 하나라고 생각했다. 참여의 기회가 주어졌을 때, 적극적 의지를 갖고 최선의 노력을 기울인 이면에는 청년시절에 품었던 공적 목표에 대한 기대와 욕구가 잠복되어 있기 때문이었다. 교육 · 연구에 매진하는 교수 본연의 책무완수라는 소명감의 일부가 '대학의 공통목표 실현'이라는 새로운 가치추구로 채워져 가는 양상이었다.

2. '행정대학원장' 체험이 '격상된 자신감' 불러일으켜

2000년대 전반, 평교수 18년 만에 '행정대학원 원장'이라는 책임보직을 4년간 수행하면서 다양한 참여와 경험을 축적할 기회가 자연스럽게 주어졌다. 이제 '보다 격상된' 위치에서 공적책무를 이행할 수 있는 여건이 조성되었고 대학의 '보편적 이익'을 추구하는 리더십에 대한 관심이 싹트기 시작했다.

평교수 시절에도 참여 기회가 주어졌지만, 책임과 권위가 뚜렷하게 부여되었다기보다는 자문적 역할이나 중간단계의 의사결정에 치중되었다. 그러나 대학의 의사결정을 총괄하는 학장회의의 정식 구성원으로 4년간 보고, 듣고, 배우면서 대학전체의 차원에서 풀어야 하는 보편적 시각(insight)에 다가서기 시작했다.

범(凡)대학 차원의 정책과 운영 시스템에 참여함으로써 대학문제의 본질과 접근방식 그리고 당면한 현안문제를 두루 헤아릴 수 있는 소중한 기회가 주어지면서 어느 사이에 자신감의 차원이 한 단계 격상되었다. 특히 대학 의사결정이 어떻게 이루어지고 있는지를 관찰 · 파악함으로써 대학 리더십의 요건과 실상을 학습할 수 있었다. 자연스럽게, 대학을 대표하는 역할을 수행할 수 있는 필요조건을 학습하고 있다는 자신감이 굳어지기 시작했다.

임기 4년 중 모신 두 분의 총장이 대학 현안을 풀어감에 있어 나에게 '의미있는 참여'의 기회와 '갈등 조율'의 역할을 기대했던 것도 사실상 소중한 '실무수습' 기간이었다.

3. 참여 통해 '소수'라는 강박감에서 벗어날 수 있어

– 우월감 없고 포용력 있는 소수의 장점

다양한 학내 참여와 활동을 통해 숫자상의 소수라고 해서 위축되지 않고 '다수의 모범이 되는 소수'가 될 수 있다는 생각이 싹트게 되었다. 공통이익의 추구에 있어서는 소수가 아니고 보편적 가치증진을 주도할 수 있다는 믿음에 다가서게 됨으로써 '도전해 볼 가치조차 없다는 무력감'에서 벗어날 수 있다는 씨앗이 싹트기 시작했다.

사실 서울대학교 내부에서 행정대학원 소속 교수라는 사실에 일종의 반사적 '소외감'을 벗어나기가 어려울 때가 종종 있었다. 기초학문분야의 자부심 강한 주요 대학 교수들과의 만남과 대화과정에서 은연중 학부가 없다는 '불완전성', 정부를 연구하는 다학제적(多學際的) 학문영역이 내포하고 있는 '독자성(originality)의 한계'는 기초학문분야의 자부심 강한 주요 대학 교수들과의 만남과 대화과정에서 은연 중 나에게 민감하게 다가왔다.

나는 이와 같은 암묵적 감성구조가 오히려 '약'이 될 수 있다고 생각했다. 타인의 그러한 시각을 인정하면서, 그것을 시정하거나 상쇄할 수 있는 포용과 적극적 노력을 기울일 수 있는 내적 동력원이 될 수 있다고 믿었기 때문이다. 우월감을 갖고 있으면서 실천과정에서 취약점을 노정하는 것보다 차라리 부족하다는 생각을 가지면서 그것을 보충하기 위해 열심히 노력하는 것이 바람직하다는 생각에 익숙해졌다. 오히려 소수이기 때문에 폭넓게 볼 수 있고, 타인의 어려움을 쉽게 파악할 수 있는 장점을 살려 나가야 된다고 믿었다.

4. 교수 내면에 자리잡은 총장에 대한 '기대의 이중성(?)' 극복

총장 선출이 교수직선제(직원 포함)인 만큼 교수들의 기대에 부응하는 총장상(像)에 근접하는 노력을 기울여야 했다. 교수마다 자신의 성향에 따라 서로 다른 입장을 취할 것이기 때문에 어떤 유형의 총장을 기대하는지는 일반론적 논의에 머무를 수밖에 없다. <표5>는 투표권자인 교수들이 기대하는 총장 유형을 크게 상징성과 실용성의 이분법(二分法, dichotomy)적 구도로 단순화해 정리해보았다.

<표5> 총장에 대한 역할 기대의 이분법적 기준

역할기대의 기준	상징성 명성(reputation)	실용성 성과(performances)
핵심 권위	학문적 권위	봉사하는 공복
중시하는 조건	덕 목	역 량(일)
스타일	격조(품위) (decency)	활동(행동) (activities)

20여 년의 총장선출과정을 지켜보니, 국립대학을 선도하는 위상에 부합하는 학문적 권위를 중시하는 경향이 큰 흐름을 형성하고 있으면서도 이러한 추상적 권위 못지않게 대학의 공통이익을 실현할 수 있는 명실상부한 리더십을 기대하는 분위기도 공존하고 있었다.

인품과 격조를 갖춘 학자가 대학을 대표해야 한다는 일반론에만 머무르지 않고 대학의 구체적 목표를 달성할 수 있는 역량과 활동반경을 지녀야 한다는 기대 역시 상존하고 있었다. 두가지 흐름의 조건을 다 갖추면 백미(白眉)이지만 한가지만이라도 제대로 갖추기가 쉽지 않다는 점에서 교수들의 다양한 기대욕구에 부합하는 후보자의 출현은 사실상 어렵다고 해도 과언이 아니다. 어떤 후보를 막론하고 두개의 기준에 일정부분 다가서더라도 어느 쪽에 비교우위가 있느냐에 따라 이미지가 형성되는 경향이 농후하다. 문제는 상당수 교수들이 품고 있는 총장에 대한 역할 기대가 다양할 뿐 아니라 경우에 따라서는 양립하기 어려운 기준을 동시에 기대하고 있다는 점이다. 예를 들면, 역량을 갖추고 열심히 봉사할 것을 기대하면서 동시에 권위와 덕목을 갖추길 원하는 소위 '기대의 이중성'이 암묵적으로 내재되어 있다는 사실을 간과할 수 없었다.

상당수 교수들은 필자가 상대적으로 후자(後者, 실용성) 측면의 기대에 부응할 수 있다고 이해하는 반면, 비판하는 교수들은 학문적 권위 등 상징성 면에서 취약한 후보라고 지적하는 것을 접할 수 있었다. 총장 선거에 임하면서 행동을 통해 '봉사하는 공복'으로 캐치프레이즈를 걸면서도 '권위'와 '격조'를 보강하기 위한 조심스러운 행보를 이어나가야 했다. 이 과정에서 대학의 대표자 스스로가 학문적 권위의 상징이 되는 것보다 더욱 중요한 것은 교수의 학문적 권위를 진작하고 방어하는 것이 총장의 책무이고 진정한 권위라는 점을 강조함으로써 '채워지지 않는' 학문적 권위에 대한 비판에 대응했다.

5. 동료 교수들의 신뢰와 총장의 권유(?)가 용기 북돋아

신뢰를 쌓은 동료 교수들의 격의 없는 격려가 도전을 주저하고 있는 나에게 용기를 불러 일으켜주었다. '과연 기본 자격을 갖추었는지', '가능성이 존재하는지', '잘하고 있는지'를 스스로 판단하기 어려운 불확실한 상황을 뛰어넘게 하는 나침반의 역할을 하였다.

이 과정에서 당시 정운찬 총장의 우연한(?) 격려는 자신감이 부족했던 나의 도전 의지에 불쏘시개 역할 이상을 하였다. 2005년 가을, 호암생활관으로 나를 불러 대화를 나누던 중, 갑자기 "오 교수, 총장 선거에 한번 나가보는 것이 어떻겠어요?"라고 물으면서 "내가 보니 총장을 아무나 하는 게 아닌데... 오 교수가 대학 전체를 위해 일한 경험과 역량이 있으니....생각해 보는 것이 어때요?"라며 격려했다.

학식과 기품, 경륜과 사회적 인지도 측면에서 비교할 수 없는 위상을 지닌 총장의 격려는 "평소 열심히 문제를 풀어내는 일꾼형 교수"로만 평가했을 것이라고 생각했던 나의 마음을 흔들어 놓았다. 나를 격려했다고 해서 반드시 견고히 지지하는 것은 아니라는 점을 알면서도, 학문적 · 정치적 그릇이 큰 현직 총장이 평소 대학 본부를 거들었다는 이유만으로 겉치레 격려를 한 것은 아니라고 믿었다.

내가 소수 대학원 소속의 실용지향적 공공정책 전공자이지만 총장 후보의 기본 자질을 갖추었다는 총장의 의견 표명은 아주 값진 메시지였다. 다른 분이 아니고 직무를 수행중인 현직 총장이 출마를 권유했다면, 최소한 총장 후보자로서 필요조건을 갖추었다고 판단했을 것으로 해석할 수 있었기 때문이다. 물론 충분조건은 별개의 문제이지만….

대학후배인 언론사 간부(당시 부국장, 현재 주필)를 만나 출마여부를 둘러싼 조언을 청한 적이 있었다. 그는 "선배는 소규모 대학 출신의 한계가 있어 쉽지 않다"고 전제하면서 "만일 이사회나 적은 숫자의 선거인단이 결정하는 경우에는 가능성이 없는데, 오히려 1인1

표 직선제이기 때문에 천만다행이다"라고 말하면서 일말의 가능성을 내비쳤다.

내가 "소속대학 교수 숫자가 적어 직선제에서는 치명적 약점이 있지 않느냐"고 반문하니, 후배 언론인은 "아닙니다. 오히려 간선제는 유력후보의 명망이나 외형적 지지기반을 고려해 선출하지만, 직선제는 2천명 교수 한 사람 한 사람이 직접 판단하니, 지상전(地上戰)에 익숙한 선배가 의외로 다수표를 확보할 수 있다"고 첨언했다. "나만 지상전을 하는 것이 아니고 다른 유력후보도 지상전을 하고 있는데 웬 말이냐"고 거듭 물으니 그는 "내가 겪은 선배는 한 사람 한 사람 진정성 있게 설득하는데 유리하지만, 유력후보들은 수월성과 권위로 무장해 공중전을 치를 것이다"라고 응답했다. 역시 오랜 정치부 출신 기자다운 날카로운 비유였다. 지상전을 강조한 후배 언론인의 언급을 선거준비기간 동안 잠시도 잊지 않았다.

IV

'도전의 길' 열어준 다양한 참여 기회 사례

1. '살아있는 체험', 대학공통이익 실현의 밑거름
2. 제도형성 과정 참여의 기회
3. 대학 기반시설의 조성에 일조(一助)할 수 있는 기회
4. 동료교수들과의 신뢰 형성 기회
5. 위기 상황에서 고언(苦言)할 수 있는 기회

1. '살아있는 체험', 대학공통이익 실현의 밑거름

1) 기회는 우연? 역할은 의지?

총장 후보로 나서기 수년 전부터 후보가 될 수 있다는 용기가 서서히 태동하기 시작했다. 참여의 기회가 주어질 때마다 대학의 공동이익을 실현할 수 있는 안목을 넓히고 경험을 축적할 수 있다고 생각해 최대한의 노력을 기울였다. 그러한 기회는 의도했다기보다는 자연스럽게 주어진 경우가 많았다. 공식기구의 참여를 요청받거나, 특정 문제의 해결에 도움을 청하는 일이 있을 때마다 적극적으로 대처하고, 능동적으로 풀어나감으로써 결론 도출, 결과 창출에 기여할

수 있는 '살아있는 체험'을 축적하게 되었다.

'우연이 필연의 씨앗이 될 수 있다'는 말이 있듯이 처음에는 의도하지 않았던 일에 적극적 자세로 긍정의 마인드를 갖고 최선의 노력을 경주할 때, 배움과 체험의 기회로 전환될 수 있다.

참여요청을 받았던 당시에는 의도하지 않았던 역할이었지만 결과적으로 역량을 축적하는 노력이었음은 의도한 것 이상의 결실을 맺게 해주는 씨앗이었다. 결과적으로 후보자로서 필요조건을 갖추려는 노력의 일환이었다고 사후에 해석할 수 있었다. 이러한 체험은 자연스럽게 선거의 불확실성을 다소나마 완화시킬 수 있는 요소였다. 사실, 다양한 체험은 직선제 선거에서 지지기반을 확보하는 동인(動因)이 되었기 때문이다. 이에 그치지 않고 당선 후 직무를 수행하는 과정에서도 유익한 사전학습의 기회였다.

2) 사례의 구성과 내용

Ⅳ장에서는 총장 후보가 되기 전 10년 동안 자연스럽게 기회가 주어진 다양한 역할을 사례로 정리하였다. 여기에 수록한 사례는 특별한 여건에서 이루어진 것이지만 대학 공직자들의 역량진작을 위해 '일반화'할 수 있는 여지가 있다고 볼 수 있다.

첫째, '대학의 제도정립과 관련된 사례'는 대학의 의사결정의 핵심인 제도개편의 실상을 이해하고 최종결정을 도출하는 과정에서 대학 리더십의 중요성을 파악하는데 소중한 체험이었다.

둘째, '대학의 자원 확보에 참여한 사례'는 대학의 역할증대 · 심화를 위한 리더십의 역할 중 재원확보의 문제가 우선순위를 점한다는 사실을 인식하면서 초기단계부터 정책당국으로부터의 신뢰는 물

<표6> 유형구분에 따른 사례의 내용

사례구분	의 미	사례의 내용	역할 패턴
제도정립	결정의 요체 파악	– '국제대학원' 신설 회의 참여, '국제지역원' 설립으로 귀착	조율
		– 분당병원 개원에 자문그룹으로 참여하다	자문
		– 농생대 관악캠퍼스 이전 후 학과 명칭변경의 연착륙	조율
		– 중요의제 사전조율을 위한 '운영소위원회 구성' 제안	제안
		– 차세대융합기술연구원 폐원(閉院)위기를 넘기다	주도
자원확보	비전실현의 기반 조성	– 3개 대학 강의동 신축 예산을 동시에 확보하다	주도
		– 우연한 후원회 참여가 치과병원 신관신축으로 귀결되다	조력
		– 원로 체육 교수의 집념에 동참하다	주도
		– 약초원이 서울대 부지로 남게 되다	조력
다양한 교우관계	신뢰 유지	– 가톨릭 교수회의 결성	조력
		– 정보화본부 사무관 증원 도움요청이 만들어낸 신뢰	주도
		– 수탁받은 연구과제를 해당 전공 교수들의 몫으로	배려
		– 기금교수와의 호쾌한 만남	배려
고언(苦言) 실행	대학의 권위 방어	– 차마 입이 떨어지지 않는 '사임하시라'는 고언	조언
		– 학장의 반발 무마를 위해 총장에게 '손 내미시라'고 진언	조언
		– 병원장 선임과정에서의 '소동'과 원만한 수습	주도

론이고 세심한 계획과 실행 노력이 수반되어야 된다는 사실을 각인시키게 되었다.

셋째, '새로운 동료들과 신뢰를 쌓았던 사례'는 종합대학 체제하에서 소속 학과 · 대학이 다르면 동료가 되기 어려운 현실에서 타 전공 교수들과 신뢰와 우의를 다지게 된 계기를 예시적으로 소개했다.

넷째, '상급자나 동료들이 꺼려하는 고언(苦言)을 실행한 사례'는 상하관계가 분명한 대규모 조직에서 아랫사람이 윗분에게 바른말을 하는 것이 어려운 분위기임에도 특별한 상황에서 대학의 권위 유지를 위해 어렵사리 바른말을 실행해야 할 책무를 다룬 것이다.

맺음말에서, 의미 있는 명제를 제시하고자 노력했지만, 필자의 주관에 치우친 나머지 '일반화 오류'의 가능성도 배제할 수 없다. 서술 과정에서 실명 노출에 당사자가 부담을 느낄 수 있다고 생각되는 경우 익명으로 처리했다.

2. 제도형성 과정 참여의 기회

1) '국제대학원'신설 의제가 '국제지역원'설립으로 귀착(1996년)

(1) 외교학과의 반대와 인문대학의 한국학 수용해 과도적 기관 설립

1996년 윤계섭 교무처장(경영대 교수)이 주관하는 '서울대 국제대학원 신설안 준비'회의가 긴급 소집되었다. 경영대, 사회대, 인문대, 행정대학원 대표 등으로 구성된 이 날 회의주제는 당시 김영삼 정부 세계화시책의 일환으로 주요 대학교에 '국제대학원' 신설을 권고하는 제안을 서울대학교가 어떻게 수용할 것인가 였다.

대학본부는 정부시책에 부응하여 서울대학교에 국제대학원을 신설할 의지를 갖고 있었다. 회의초 국제대학원 신설에 대해 호의적인 의견이 나왔지만, 사회대(외교학과 교수들)의 강도 높은 반대로 난관에 부딪쳤다. 외교학과 교수들은 국제화 역량증대에 직결되는 효율적 인력양성을 위해서는 기존 외교학과를 중심으로 학제개편과 지원이 긴요하다고 지적하면서 '국제대학원'신설의 부당성을 강조했다. 아마도 국제대학원이 신설될 경우, 대외부문 교육 · 연구에 있어 국내 최고의 중심축이라는 자부심을 품고 있는 외교학과의 위상에 손상을 줄 수 있다는 우려가 잠복되어 있었던 것이 반대의 배경이었다고 생각했다.

문제는 여기에 그치지 않았다. 인문대학은 한국학 연구를 활성화하는 것이 사실상 국제학 연구의 기반을 강화하는 방안이라는 입장에서 신설될 대학원이 한국학 분야를 포함해야 한다고 주장했다. 아마도 새로 출범할 대학원에 인문대학의 목표와 비전을 반영하려는 의도라고 이해했다.

위원장은 학내에서 목소리가 높은 사회대의 반대와 인문대학의 추가 제안에 직면하여 심의 안건을 조율하는데 힘들어했다. 나는 회의중반 참석자들의 발언을 경청한 후 "정부시책에 맞춰 국제학 전문 양성 교육시스템을 도입하는 것은 긴요하다"고 강조하면서, 학내의 반대 의견을 감안해 독립대학원 체제가 아닌 본부 직할의 교육단위 신설도 고려해야 한다고 역설했다. 더 나아가서 인문대학의 입장을 반영하여 신설될 대학원에 한국학 교육 · 연구를 포함하는 것이 바람직하다고 덧붙였다.

교무처장은 외교학과의 반대 입장을 일부 반영하여 독립대학원의 지위를 갖지 않도록 '국제지역원' 명칭하에 본부 직할의 교육단위로 신설하기로 입장을 정리하고, 인문대학이 강조한 한국학 부문을 포함하는 절충안으로 마무리했다. 당초의 제안에서 한 발짝 물러섰지만 국제학 교육 · 연구의 씨앗이 심어져 절반 이상의 목표는 이룬 셈이었다. 몇 년 후 국제지역원은 '국제대학원'으로 승격해 서울대학교 국제학 교육 · 연구의 중심축이 되었다.

(2) 맺음말, 반대의견 수용하는 포용이 제도형성 촉진
– 상위가치는 살리되 하위목표는 양보함으로써 원만한 타결

정부의 국제대학원 신설 지원 계획이 발표되자, 서울 소재 사립대학들은 국제대학원 신설 또는 확장(기존에 국제대학원이 존재했던 경우)을 신속히 결정했다. 이에 비해 서울대학교는 의사결정에 어려움을 겪었고, 정부의 입장과는 다소 거리가 있는 내용을 담아 최종 결론을 냈다. '국제화'를 정권의 슬로건으로 내걸었던 김영삼 정부의 입장에서 '국제대학원' 구상에 서울대의 참여가 긴요했다고 판단한 나머지 서울대 결정을 흔쾌히 존중했다고 볼 수 있다.

서울대학교의 의사결정이 타 대학에 비해 어려운 이유 중의 하나는 개별 단과대학 또는 개별 학과의 반대가 제기될 경우, 대학본부가 손쉽게 반대의견을 조율하기 어려운 '분권적 자율 문화'가 뿌리 깊기 때문이다.

일부 반대의견에도 불구하고 국제학 교육 · 연구 단위가 출범한 것은 반대 입장을 감안하여 독립 단과대학원이 아닌 본부 부속기관으로 격하시키면서 한국학 부문을 포함시키는 절충안을 마련했기 때문이다.

이 과정에서, 반대의견의 옳고 그름을 따지지 않고, 반대의견을 경청하고 배려한 것이 원만한 타결의 원동력이라고 말할 수 있다. 국제대학원 신설의 기본 취지는 살리되, 수단적 목표에 해당하는 대학원의 법적 존재 형태를 반대자의 의중에 맞추었을 뿐 아니라 잠재적 반대자로 전환할지도 모를 인문대학의 한국학 포함 요구를 수용함으로써 손쉽게 절충안에 합의한 것이다.

결론적으로 객관적 기준에서 반대의견의 옳고 그름을 떠나, 진정성 있게 경청하고, 이를 어떤 형태로 반영할 것인지를 모색하는 것이 결정의 불확실성을 줄이거나 극복할 수 있는 길이라는 점을 새삼 목격했다.

2) 분당병원 개원에 자문그룹으로 참여(2002년)

(1) 서울대병원장으로부터 '분당병원 신축' 자문 요청받아 – 추가예산 확보 못하면 개원 어려운 상황

2002년, 서울대병원 박용현 원장으로부터 병원에 현안문제가 있으니 회의에 참석해달라는 요청을 받았다. 첫 회의에 참석해보니, '재원(財源)확보의 난관에 봉착한 서울대 분당병원 신축을 어떻게 수습할 것인가'를 논의하기 위해 소집된 것이었다.

당초 노인전문병원으로 출범하도록 되어있는 분당병원 신설 계획이 병원 지도부의 야심찬 의욕에 의거, 사업규모가 당초 예산을 상당 수준 초과하기에 이르렀던 것이었다. 일반적으로 정부지원사업은 설계변경 등 기술적 요인으로 추가소요가 불가피하게 발생하는 경우에 한해 당초 예산을 초과하는 추가예산을 배정하지만 실제 상당한 제약이 뒤따르게 마련이다. 그런데 분당병원의 경우, 당초 계획보다 월등히 의욕적으로 신설 계획을 수정한 나머지, 당초 예산을 500억 원 넘어서는 추가예산이 배정되지 않으면 병원의 완공이 지연될 수밖에 없는 상황이었다.

'서울대병원(본원)에 버금가는 경쟁력 있는 병원을 신설해야 한다'는 병원지도부의 확고한 의지와 더불어 '어려운 문제도 풀어갈 수 있다'는 무언(無言)의 자신감이 이런 사태를 초래한 배경이라고 판단했다.

(2) 장관 만나 '추가지원 불가' 확인 후 특단의 대책 건의

첫날 회의에서 왜 참여 요청을 받았는지 간파했다. 당시 중앙인사위원장을 맡고 있던 김광웅 교수(작고)가 나를 분당병원 완결에 조언을 줄 수 있는 예산·재정전문가라고 소개했기 때문이었다.

기대에 순응해야 할 책임이 있다고 생각해 며칠 후 가까스로 예산 주무부서인 기획예산처 장관 면담이 이루어졌다. 평교수로서 장관 면담이 용이할 수 없었으나, 직전까지 기획예산처 전신이었던 '기획예산위원회'의 위원으로 함께 자리했던 인연이 면담을 가능하게 한 것이다. 장관은 대뜸 "오 교수가 재정전문가인데, 당초 계획을 간과하고 사업 계획을 임의로 확대한 자의적 결정에 대해 추가 예산 지원을 하는 것이 옳은 일이라고 생각하는가"라고 반문하면서 추가예산 지출은 "고려할 가치가 없다"고 단언했다. 평소 엄격한 재정 관리로 명성을 날리던 장관의 언급에 대응할 수가 없지만 "이번 일은 일반 사업과 달리, 국민의료 향상을 위한 서울대병원의 고육지책이니 이해해달라"고 호소할 뿐 이었다.

나는 원장께 "예산증액문제로 장관과 면담을 했지만 속수무책이니, 특단의 대책을 강구하셔야 된다"고 제언했다. 이때가 김대중 대통령 임기종료를 7개월 앞둔 시점이었다. 이러한 과도기에는 예산부서가 예산 편성과정에서 대통령에 대한 정치적 배려를 반영하기가 어려운 상황이다. 그러나 역설적으로 이러한 행정부의 분위기를 타개할 수 있는 유일한 길은 정치적 차원에서 명분을 남길 수 있는 '대통령의 마지막 공적'을 호소하는 길이라고 믿었다.

병원 지도부는 통상적 예산결정과정을 뛰어넘어 대통령실에 '노인건강 증진에 기여하는 분당병원의 건립'이라는 슬로건을 전달했고, 그러한 메시지가 긍정적으로 수용된 결과, 예산 증액의 돌파구가 열리게 되었다. 아마도 평소 노인복지에 많은 관심을 두었던 최고 수뇌부의 각별한 관심이 이러한 과정에 긍정적 효과로 작용했던 것으로 짐작했다. 불가능할 것으로 보였던 예산증액(2002년, 441억 원)이 이루어져, 2003년 5월 분당병원이 개원하게 되었다. 그야말로 상상할 수 없는 쾌거가 현실이 되었다.[5]

출처 : 서울대학교병원 의학역사문화원 홈페이지

2003년 6월 25일, 분당 서울대학교병원 개원식에서 테이프커팅하는 모습. 왼쪽 두 번째가 박용현 서울대학교병원 원장, 네 번째가 성상철 분당병원 원장, 맨 오른쪽이 권이혁 前 서울대총장

(3) 맺음말, 책임자의 의지와 실천력이 긍정의 결실을 이루게 하는 동력 – 초기 투자결정시, '미래의 경쟁력' 고려해야 옳은 선택

이 과정을 지켜보면서, 책임자의 의지와 실천력이 완결 과정에서 참으로 소중하다는 사실을 체감했다. 더 나아가서 처음에는 과욕으로 비칠지 모르지만, '규모의 경제'와 미래경쟁력을 고려하여 사업 규모를 적정화하는 노력이 일정한 시간이 경과한 후에는 '옳은 선택'일 수 있다는 '의욕이 초래한 긍정의 역설'을 확인할 수 있었다.

5 추가정부지원금은 2002년 441억 원을 포함해, 뒤이어 2003년 316억 원, 2004년 63억 원으로 총 820억 원에 달했다.

당초 계획을 기준으로만 삼는다면 분명 높은 의욕이 초래한 무리한 사업 계획의 변경이었지만, 추가예산을 투입해 출발한 서울대 분당병원이 서울 남부, 경기지역 일대 주민을 위한 모범 종합병원으로 견고히 자리 잡은 결실을 보면서, 이런 자문자답을 해보곤 한다. "만일 분당병원설립이 당초 원안 계획대로 집행되었다면, 그리고 개원 전에 추가예산이 긴급 배정되지 않았다면, 과연 분당병원의 사회적 기여가 현재의 수준에 이르고 있을까?"라고.

출처 : 서울대학교병원 의학역사문화원 홈페이지

분당 서울대병원 전경

사업 구상의 초기단계에는 신규 예산 확보가 어려워 사업 규모를 줄여 계획을 수립해 예산을 신청하는 경우가 많다. 그런데 사업이 완성된 후 적정 규모에 이르지 못해 조만간 또다시 시설을 증축해야 소기의 목적을 이룰 수 있다면 결과적으로 자원배분의 비효율을 초래하게 된다.

그렇다면 초기단계에 힘들더라도 적정수준의 예산책정을 통해 신규사업 규모를 계획한다면 일정 기간 후 기본수요를 충족하기 위해 새로운 추가 지출노력을 기울이지 않아도 된다는 점에서 총비용이

절감되고 효율적 자원배분을 도모할 수 있다는 사실이 간과되어서는 안 된다. 시간이 소요되고 제약에 직면하더라도 초기단계에 적정 사업규모와 이를 뒷받침할 예산책정 노력이 정책결정자의 마인드에 자리 잡아야 한다.

3) 농생대 관악캠퍼스 이전 후 학과 명칭변경의 안착(2004년)

(1) 학장들의 강도 높은 반대를 통합정신 살리자며 설득

서울대학교 농업생명과학대학이 관악캠퍼스로 이전하면서, 기존의 전통적 농과대학에서 명실상부한 농업생명과학으로의 변화와 혁신을 위해 다방면의 노력을 전개하고 있었다. 그 중 하나가 2004년 기존의 농과대학식 학문 분류에 따른 고전적 학과 명칭을 생명과학 패러다임으로 변경하는 것이었다. 바이오시스템소재학부(기존: 천연섬유학과)를 포함하여 조경 · 지역시스템공학부, 응용생물화학부 등 학과 · 학부개편안이 학장회의에 상정되었다.

유사한 명칭의 학과가 소속된 공대, 자연대, 환경대, 사회대(지리학과) 학장들이 강도 높은 반대의견을 제시했다. 반대논리는 새로운 학과명이 학문분류에도 적합하지 않을 뿐 아니라 기존의 학과들과 유사한 학과명이어서 입학이나 교수선발, 교과과정 편성 등 학사운영에 혼란이 야기된다는 것이었다.

학장들의 반발에 총장이 사회를 원만히 진행하기가 어려웠고 찬성의견이 자리 잡을 공간이 없었다. 이런 분위기속에서 나는 농생대 개편안에 대한 조율이 필요하다고 판단해, 용기를 내어 발언을 신청했는데 총장이 즉각 허락했다.

"농생대가 기존 수원캠퍼스에서 이전한 것은 농생대의 발전에 국한되지 않고, 관악캠퍼스 중심의 서울대학교 통합정신의 완결이라고 생각한다. 태능에 있던 공대가 관악으로 이전한 뒤, 20년이 지난 이제 농생대가 관악에 자리 잡게 됨으로써 서울대학교의 진정한 캠퍼스 통합이 이루어졌다. 학과 명칭을 바꾸면서까지 변화를 추구하는 농생대의 노력에 동반하거나 최소한 이해하는 것이 통합정신을 살리는 길이다. 반대하시는 학장님들의 주장에 분명 근거가 있으나, 관악 이전이라는 대의(大義)의 틀에서 그 뜻을 헤아려 쇄신 노력을 격려하는 것이 바람직하다"

"학과명 변경 의제보다 더 중요한 것은 변경된 명칭에 부합하는 교육 · 연구가 제대로 이루어지도록 교과과정개편과 교수충원, 그리고 연구시설 확충 등을 점검하는 것이다. 학과개편안에 공감하는 방향으로 논의를 진행할 것을 부탁드린다. 기술적 문제는 반대토론을 하신 학장님들과 농생대 학장이 별도의 소위원회를 통해 조율할 것을 제안한다"고 발언했다.

총장은 내 발언이 끝나자마자, 오 교수의 제안에 이의 없는지를 확인하고, 기술적 문제는 소위원회에서 추가 논의하자면서 토론을 종료했다.

(2) 맺음말, 후발주자에 대한 선발주자의 포용과 격려 – 반대의견 경청, 상위 가치 공유노력이 필수 요건

수원캠퍼스에 위치해 관악캠퍼스의 기존 대학과 비교할 때 상대적으로 어려움을 안고 있던 구(舊) 농과대학은 관악캠퍼스로 이전하면서 생명과학을 근간으로 한 첨단 농업 기반기술과 미래 산업구조 변화에 능동적으로 대처하고자 진일보한 학문 영역에 맞춰 학과 ·

학부명을 대대적으로 바꾸고자 한 것이다. 학장회의에서 몇몇 학장들이 농생대(안)에 강도 높은 반대 의견을 피력했음에도 농생대 안건과 거리가 있는 필자가 농생대입장을 지지한 것은 후발주자가 이제 메인캠퍼스에서 "새 출발을 해보겠다"는 의지를 존중하는 것이 대학 전체의 위상을 높이는 것이라고 믿었기 때문이다. 소위 경쟁력을 지녔다고 자부하는 대학이 새 출발하겠다는 후발주자를 이해하고 격려하는 것이 유력(有力) 대학의 진정한 자부심일 수 있다는 개인적 소신이 선배 학장들의 입장과 상치되는 의견을 피력하게 한 배경이었다.

반대 의견이 지속적으로 표명될 때, 중립적이거나 지지하는 의견이 묻힐 수 있다. 자칫 조용한 다수의 침묵으로 흘러 반대 의견이 주류를 이루는 분위기가 결론으로 귀결될 가능성을 배제할 수 없다.

이런 분위기에서 반대 의견에서 벗어난 입장을 제안하는 토론자는 반대 의견을 충분히 이해하고 존중하는 태도가 필수적이다. 반대 의견을 표명한 토론자들을 감성적 차원에서 자극하지 않음으로써, 자신들과 다른 입장이지만 그 진의를 경청할 수 있는 공간이 생길 수 있기 때문이다. 반대자들의 문제 제기를 직접 반박하지 않고 이해하는 태도를 갖추면서 그들이 고려하지 않았던 새로운 가치의 우선순위를 호소하는 자세가 긴요하다. 반대에는 분명 반대할 만한 이유가 존재하기 때문에, 그러한 반대를 뛰어넘는 보다 높은 가치에 대해서 공감할 수 있는 여지를 만들어야 한다. 농생대 개편안을 기존 학과 · 대학 간 중복 · 경쟁으로 보지 않고, 시스템 전체의 통합가치를 높이자는 입장을 호소한다면 이의를 제기할 반대자는 그렇게 많지 않을 것이기 때문이다.

반대 의견을 존중하면서, 보다 상위 목표의 가치창출에 동반하는 가치공유 → 결론조율의 과정이 기관의 미래가치를 향상시킬 수 있다는 사실에 유념해야 한다.

4) 중요의제 사전조율을 위한 '운영소위원회 구성' 제안(2004년)

(1) 학장회의 진행의 한계

서울대학교의 법인화 이전 최고 의사결정기구는 학장회의(법인화 이후 학사위원회로 명칭 변경)였다. 2000년대 전반, 행정대학원장 자격으로 학장회의에 참석하면서 최고의사결정기구에 걸맞은 토론과 의견조율, 결론의 도출 등 일련의 회의진행이 원활히 이루어지지 않음을 느낄 수 있었다. 매주 두시간 이상의 회의시간 중 관련 집행부서에서 조율을 거쳐 올라온 규정개정이나 본부 처 · 실 · 국의 업무보고가 대종을 이루었다. 사안의 경중(輕重)구분 없이 상정된 안건을 소화하다보니, 정작 치열한 토론을 거쳐 중지를 보아야할 안건이 소홀히 취급될 수 있는 여지가 있었다. 반면 해당 단과대학의 이해충돌이 발생했을 때나 의제에 없는 민원을 제기할 때는 장시간 집행부를 비판하는 분위기가 연출되는 등 사안의 중요성이 토론과정에 반영되지 않았고 의미 있는 반대와 토론이 있더라도 그것이 결론도출로 연결되지 못했다.

2004년 5월, 학장회의에 상정된 '입학 정원조정(안)'을 예로 들어보면, 기존 정원의 20%이상을 감축하는 중대 사안에 걸맞는 '정원조정'의 타당성에 대한 심도 있는 토론이나 보완대책을 강구하는 내실 있는 논의가 진전되지 못한 채 결론에 도달했다.[6] 본부의 안건자

6 이 조정안은 서울대학교가 대학원 중심 대학으로 전환하기 위해 2004년까지의 대학 입학 정원 4,910명을 3,260명 선으로 감축하고 기초교육원을 설립하는 내용을 주안으로 하고 있다.

료도 결론만 제시할 뿐 정원조정의 목표인 '대학원 중심 교육'에 대한 장기적 비전과 미래교육의 좌표에 관해서는 의미 있는 입장을 내놓지 않은 상태에서 몇몇 학장들의 거친 반발이 노정되었다. 일부 학장들의 반발이 근거 있는 것이라면 조정안의 내용을 검토할 여유를 갖는 것이 바람직함에도, 강도 높은 반대토론을 반영해 일부 수치를 조정하는 선에서 봉합된 채 의결되었다. 학장회의 종료 후 몇몇 학장들은 나를 불러 "왜 근원적 관점에서 재론해야 한다는 발언을 하지 않았느냐"고 나무라며 결과에 불만을 토로하기만 했다.

(2) 의제의 쟁점 정리와 사전 조율로 결정의 공감대 형성 – 의사결정 역량은 소프트웨어 경쟁력의 출발

최고의사결정기구의 책무는 기관의 비전과 공통목표 실현을 위해 사전에 핵심 의제를 발굴할 뿐 아니라 제안된 의제의 쟁점을 정리, 찬·반 양론을 조율하여 최종 입장을 정립하는 것이다.

이런 시각에서 학장회의 진행방식을 개선할 필요가 있다고 판단한 나머지 용기를 내어 회의운영개선(안)을 제안했다. 제안의 취지는 진지한 토론이 이루어져야 할 핵심의제를 단순 확인 또는 일부 보완이 필요한 의제로부터 구분하여 심도있는 사전조율을 거친 후 학장회의가 핵심의제의 결론도출에 집중하자는 것이었다. 이를 위해 사전 역할을 담당할 5 ~ 7인의 '운영소위원회'를 구성할 것을 건의했다. 30명 안팎이 모인 회의에서 집중적 토의와 결론도출이 용이하지 않다는 점에 구성원 대부분이 고개를 끄덕였다. 총장은 즉각 이 제안을 수용해 부총장을 소위 위원장으로, 몇몇 대학의 학장을 위원으로 지명했다.

소위원회는 주요 쟁점사안에 대해 미리 심층토의를 거쳐 입장(position)을 정하고 입장이 대립될 경우, 찬 · 반 입장을 정리해 우선순위를 판별할 수 있는 형태로 학장회의에 회부하는 사전준비 노력을 기울였고, 본부가 제안한 안건 외에도 학장회의에서 집중적으로 논의할 주요 의제도 발굴했다. 당연히 회의시간이 단축되었고, 핵심사안을 중심으로 논의에 집중할 수 있게 되었다.

기관의 의사결정역량은 기관의 존재가치를 확인하고 미래의 역량을 심화시키는데 있어 필수적 요소의 하나이다. 최고 의사결정기구가 문자 그대로 바람직한 방향의 최종 결정을 주도하기 위해서는 기관의 장, 회의의 구성원, 준비팀이 삼위일체가 되어 의제발굴, 의제검토, 결론도출, 집행계획 등이 선순환 될 수 있는 시스템을 주도면밀하게 구축해야 한다.

많은 합의제 의결기구가 사무국 중심으로 또는 최고책임자의 의중에 따라 운영된다면 기관의 총체적 역량결집에 도달하기 어렵다. 대학의 학장회의나 교무위원회는 물론이고, 정부의 국무회의와 각종 공적위원회, 대기업의 이사회 등 의사결정기구의 운영패턴을 쇄신하고 정비하는 노력은 소프트웨어 경쟁력 향상을 위한 필수적 과제의 하나라고 믿는다.

의사결정기구가 본연의 역할을 다하기 위해서는 참여자들의 철저한 사전학습 등 회의대처 노력은 물론이고 목표를 달성하기 위한 전부 아니면 전무(all or nothing) 형태의 단수(單數)대안을 제시하는 조직문화에서 벗어나 복수(複數)대안을 파악하고 우선순위를 제시하는 유연한 의식구조의 변화가 수반되어야 한다. 이러한 결정과정을 통해 목표를 향한 새로운 구상의 구심점이 형성되고 최종 결정의 공감대가 확산됨으로서 새로운 정책 또는 시책의 효과가 향상될 수 있다.

5) 차세대융합기술연구원 폐원(閉院)위기를 넘기다(2006년)
– 신임 경기지사와의 전격 회동이 극적 전환점

(1) 신임 지사의 '협약연장 거부' 접한 원장의 도움 요청

2006년 8월, 경기도 수원에 소재한 서울대 '차세대융합기술연구원' 원장을 맡고 있는 이건우 교수로부터 긴급 연락이 왔다. 이유인즉, '차세대융합기술연구원'이 출범할 수 있는 근거가 된 경기도와의 연구원 운영에 관한 협약이 곧 만료되는데 김문수 신임 지사팀이 협약갱신의 의지가 없어, 자칫 '차세대융합기술연구원'이 문을 닫게 될 위기라는 것이었다. 다급한 나머지 이 사안과 무관한 나에게 고교선배라는 인연으로 긴급 연락을 하게 된 것이었다.

'차세대융합기술연구원'은 손학규 전임 경기지사 시절 경기지역에 서울대학교 부속기관 유치를 목적으로 필요한 공간과 재원을 제공하는 조건으로 출범하였다. 초기에는 손 지사가 의욕을 보여 경기도의 협력이 그런대로 원활하였지만, 도의회 의원들이 "무늬만 서울대학교 부속기관일 뿐, 재정 부담만 안기고 있다"는 비판적 여론이 팽배했었다. 서울대학교도 법적 지위를 정립하지 않아 사실상 공과대학 부속기관의 형태로 운영되는 양상이었다.

김문수 지사팀은 막대한 재원을 투입하고 있는 이 기관을 서울대학교가 경기지역 주민이 원하는 명실상부한 교육 · 연구단위로서 운영하지 못하고 있다고 지적하면서 더 이상의 재정 ·시설 지원을 고려하지 않는다는 입장이었다. 이미 신임 지사팀은 선거과정에서 전임 지사가 정치적 의도를 갖고 협약을 체결했다고 비판하며 협약종결을 언급한 바 있었다.

이건우 원장이 나에게 긴급 요청한 것은 다름 아닌 김문수 지사를 만나 '차세대융합기술연구원' 협약 연장을 읍소해달라는 것이었다. 나는 "그 일은 총장이 해야 할 일인데, 왜 나한테 역할을 기대하느냐"고 반문했다. 이 교수는 "그게 맞지만, 선배가 김 지사님과 서울대 입학 동문이니 어느 정도 연락이 될 듯해서 부탁드린다"고 답했다. 나는 이 교수가 공대 교수로서 책임을 맡은 애매모호한 기관이 임기 중 '공중분해(空中分解)' 되는 것에 대한 불안감을 완화해 줄 막연한 정서적 공감대가 있을 뿐이었다. 김 지사에게 연락이 될지 안 될지 자신이 없지만 최소한 전화통화 시도는 하겠다고 언약했다.

(2) 공관만찬 중 '협약연장' 전격 선언

이 교수와의 언약을 이행하기 위해 김문수 지사에게 전화 연락을 시도했다. 가까스로 답이 온 것은 서울대 70학번 입학 동기라는 인연에 힘입은 바 컸다. 김 지사에게 "지사부임을 축하드리고 한번 뵙고 싶다. 경기도가 지원하는 '차세대융합기술연구원' 문제로 상의드리고 싶다. 서울 오실 때 차라도 한잔, 여유 있으시면 식사자리라도 좋지만, 지사님이 워낙 바쁘셔서...... 함부로 약속 요청드리기도 어려워요"라고 말했다. 너무나 다행스러운 것은 김 지사가 즉각 오찬 약속을 수용했다는 것이다. 평소 교류가 없던 대학동기가 갑자기 연락했는데, 현직 지사가 즉각 응답해주고, 식사 약속까지 흔쾌히 수용하는 것은 사실상 극히 예외적인 일임에 틀림없었다.

그런데 며칠 후 파격적인 연락이 왔다. 오찬 약속을 취소하고, 지사 관저에서 만찬을 하자는 것이었다. 그러면서 "오 교수가 '차세대 융합기술연구원' 관련 교수 몇 명을 대동하고 와도 좋다"는 파격적인 제안을 하였다. 나는 그 순간 " '차세대융합기술연구원' 문제가 이제 숨통을 틀 수 있는 기회가 다가오는구나"라며 안도의 한숨을 쉬었다.

경기지사 공관 만찬에 참석하기 전, 공대 교수들에게 " '차세대융합기술연구원' 존속 문제는 한 단어도 꺼내지 말라"고 당부했다. "우리를 공관 만찬에 초청해 준 것만 해도 고마운데, 괜히 민원성 이야기를 꺼내면 분위기만 삭막해진다"고 첨언하면서, "오늘의 테마는 신임 경기지사 부임으로 경기도의 새로운 변화와 발전, 그 과정에서 지사님의 헌신적 지도력을 기대한다"는 대화에 전념하라고 당부했다.

출처 : 경기도 뉴스포털

경기지사 관저 만찬 8개월 후인 2007년 3월 21일, 차세대융합기술연구원 공사현장에서 당시 김문수 경기지사(왼쪽)와 이장무 서울대총장이 '경기도-서울대 차세대융합기술연구원 운영협약'을 체결하고 있다.

만찬 도중 잠시 화장실에 다녀오면서 지사특보와 마주쳤다. 그는 " '차세대융합기술연구원' 협약연장 문제에 대해 지사님이 완고하신데, 오늘 만찬은 '취임 이래 제일 좋은 분위기'이여서 지사님이 '차세대융합기술연구원' 문제를 어떻게 언급할지 몰라 걱정이다"라고 말했다.

만찬 중반, 김 지사가 와인잔을 들고 "서울대 교수들이 지사 공관을 방문해줘서 고맙다. 여러분이 염려하는 '차세대융합기술연구원' 협약 종결은 없는 일로 하겠다. 다만 귀중한 경기도 재원을 투입하는 만큼 열성을 다해 일해 달라"고 당부했다. 그야말로 예측하지 못한 경이적인 반전(反轉)에 이른 것이었다.

(3) 맺음말, 책임자의 헌신과 만남 과정의 상호 신뢰

첫째, 책임자의 헌신적 자세와 대학의 역할을 중시한 지사의 유연성

"만일 이 교수가 나에게 지사 면담을 요청하지 않았다면, 그리고 김 지사와 공관 만찬이 없었다면 현재의 융합대학원이 존속·발전할 수 있었을까"라는 가상적 질문을 해본다. 이 과정에서 '차세대융합기술연구원'을 살리려는 이 교수의 열의가 밀알이 되었다. 보통 보직교수 같으면 어려운 상황을 타개하려는 노력을 기울인다고 해도 자신의 영역 내에서 성의를 다하겠지만, 공통 분모가 전혀 없는 선배 교수를 찾아가 읍소하는 노력은 파격적이었다. 소위 유력학과의 유능한 교수들의 평균적 태도는 자신의 소임을 매뉴얼대로 처리하는데 익숙할 뿐, 파격적 노력을 기울이는 일은 흔치 않다. 이런 점에서 이 교수의 헌신이 오늘의 융합대학원 위상을 유지하게한 뿌리라고 말할 수 있다

보통 선출직 광역자치단체장은 재정지원 기관 구성원의 면담 요청을 흔쾌히 수용하지 않는다. 선출직 지사의 가혹한 일정상, 뻔히 수혜기관의 민원이 있을 줄 알면서 자리를 함께할 여유가 없기 때문이다. 그럼에도 파격적으로 만찬 자리를 마련해 3시간 환담의 기회를 가진 것은 '대학에 대한 근원적 신뢰'를 품고 있었기 때문이라고 해석할 수 있다.

더 나아가서 이미 참모들과 결론에 도달한 '협약 연장불가' 방침을 백지화하는데 상당한 고민이 있었을 듯 싶다. 그럼에도 이 지사가 신속히 결정함으로써 '차세대융합기술연구원'의 역할이 재정립되었고, 그 뒤 '융합대학원'으로 격상되는 전기를 마련해준 결과 서울대 융합연구의 선두주자의 하나로 그 존립가치를 입증하고 있다.

둘째, 만남에서의 상호신뢰와 의연함

지사와의 공관 만찬 자리에서 서울대 교수들이 처음부터 '차세대융합기술연구원'이 경기도에 상당한 공헌을 하고 있으니 당연히 협약을 연장해야 한다고 주장했거나 융합연구를 잘하고 있다고 은근히 자랑했다면 그렇게 원만한 결정에 도달했을까?

만일 교수들이 만찬 초반부터 '차세대융합기술연구원'의 협약연장의 당위성을 강조했다면, 지사는 연구원에 대한 평소의 입장을 설명할 것이고, 이 과정에서 불필요한 논박이 오고 갈 여지가 높았을 것이다. 최종 결론은 어차피 지사가 내는 것인데 그동안 모범적으로 운영을 못해 온 처지에 잘해왔다고 강변하면 불필요한 논란이 이어질 여지가 높았다. 협약연장여부와 관계없이 "최선을 다했지만 기대에 부응하지 못했다"는 겸손한 모습을 보일 때 결정권자는 자신의 결정을 재고할 수 있는 여백이 생겨나고 다시 한 번 기회를 부여하는 것이 어떨지 고려할 수 있는 길이 열린다고 생각할 수 있다.

아마도 초지일관 지사 취임을 축하하고 경기도가 글로벌 경쟁력을 높이는 전략적 중심권으로 심기일전해야 한다는 덕담을 아끼지 않는 교수들의 의연함이 지사의 마음을 움직이게 한 요인의 하나일 수 있었다. 서울대 참석자들이 숨은 목표(hidden goal)가 있었더라도 그것을 내보이지 않고, 상대방이 판단할 기회를 기다리는 의연한 자세를 취함으로써 결정자의 마음을 움직이게 하는 감성적 분위기를 이끌어내었다는 사실에 귀를 기울일 필요가 있다.

3. 대학 기반시설의 조성에 일조(一助)할 수 있는 기회

1) 3개 대학 강의동 신축 예산의 동시 확보(2002년)

– 생활과학대, 보건대학원, 행정대학원

(1) 원장으로서 책임을 다하라는 권고에 순응

2002년 봄, 서울대학교 행정대학원 원장 1차 임기를 9개월 남기고 일부 교수들이 현재의 대학원 건물(정보통신행정관)로는 점증하는 다양한 수요를 수용하기가 어렵다면서 교육연구동 신축을 제안했다.

사실 수년 동안 행정대학원에 아시아개발센터(ADI), 행정지식센터, 정책포럼, 다수의 특별 프로그램이 신설되면서 공간이 부족했다. 이 점을 고려하면 당연히 건물 신축을 위한 노력을 기울여야 했다. 그러나 이미 대학원장 임기 2년의 절반 이상이 지나갔고, 건물 신축을 위한 정부 예산 확보가 험난하다는 것을 잘 알고 있는 상황에서 구태여 '불가능에 가까운 일'을 하겠다고 공언만 하고 실천하지 못하는 싱거운 사람이 되고 싶지 않았다.

어느 날, 김병섭 부원장(現 명예교수)이 "교수회의에서 선출된 원장이니, 재임 중 교수들의 숙원 사업을 풀고 가야 합니다"라고 말하는 순간, "아, 직선 원장이니 지지해준 몫을 하고 가라는 뜻이구나"고 이해했고 당초의 소극적 태도를 바꾸기로 결심했다.

(2) 신속한 건물 설계와 본부의 승인

즉시 행정대학원 교수회의에 건물 신축안을 상정하여 동의를 구했다. 반대할 이유가 없는 안건이라 교수 대부분이 찬성했으나 한 원로 교수는 "원장 연임을 위해 실현성이 없는 건물 신축안을 들고와 교수들을 현혹시키고 있다"고 격양된 반응을 보였다. 나는 그분의 분노를 이해하면서 "어렵지만 임기 내에 최선의 노력을 기울이겠다"고 답했다.

새 건물의 설계를 완성하는 일이 급선무였다. 보통 100억 원 이상 규모의 설계는 수개월이 걸린다는 사실을 알았기 때문에 공공건물 건설에 경험이 풍부한 주택공사(현재, LH공사) 설계팀에 비용을 지급하고 기술자문을 받아 설계 도면을 한 달 내에 완성했다.

2002년 7월, 설계도가 포함된 120억 원 규모의 신축 계획서를 들고 대학본부에 제출하니 담당 직원은 "이렇게 늦게 가져오면 어떻게 하냐"고 당혹감을 금치 못하면서 "2003년 국고 예산 요구는 5월에 마감했기에 방법이 없다"고 했다. 이에 덧붙여, 올해(2002) 신규 사업 7개를 접수한 상태라 지금 새로 접수해도 아무런 의미가 없다고 언급했다.

예산 결정과정을 잘 알고 있는 나는 본부 실무팀이 난색을 표명하는 것이 당연하다고 생각했다. 그렇기에 정상적인 시간 계획으로는 내년도 예산 편성에 반영이 어렵다는 점을 알고 특별한 정책적 배려를 기대할 수밖에 없었다. 박오수 기획실장을 면담하여 어려운 입장을 상세히 설명했다. "행정대학원의 건물 신축 예산 요구가 정상적 절차에서 벗어났지만, 대학본부의 학내 절차(캠퍼스기획위원회, 기획위원회)를 거쳐 교육부와 기획예산처 예산실로 추가 공문을 보내달라"고 간청했다. 누구보다도 예산 편성 절차를 잘 알고 있는 내가 박 실장에게 한 번 떼를 쓴 셈이다. 그는 어렵다는 말을 꺼내지도 않고 "내년도(2003) 예산에 반영될 가능성은 별로 없지만 행정대학원 예산 요구 관련 추가 공문을 교육부에 보내겠다"고 긍정적으로 응답했다. 아마도 기획실장이 행정대학원의 늦장 요구를 너그럽게 수용한 것은 평소 행정대학원 교수들이 대학본부의 긴급 현안이 있을 때, 열의를 보여준 것을 마음에 담고 있었기 때문이라고 생각했다.

(3) 기획예산처에 신축의 객관적 필요성 호소

국립대학의 신규사업 예산을 확보하는 작업의 어려움은 겪어본 사람이 아니고는 상상하기 어렵다. 많은 교수들은 대학의 예산 요구가 예산 확보로 직결되는 것으로 생각하고 있지만 예산요구는 예산 결정 과정의 초보적 출발에 불과하다. 정부예산에 대학의 신규사업이 포함되는 것은 궁극적으로 예산당국의 엄정한 심사와 우선순위 판단에 의존한다.

2002년 8월, '2003년 정부예산안'을 최종 마무리하느라 분망한 예산실의 국립대학 예산담당 사무관과 과장(진석규 서기관)을 두 차례 만나 행정대학원 건물 신축안을 설명했다. 대학건물 신축에 회의적인 입장을 가진 과장은 "서울대학교가 자꾸 새 건물 짓는다고 대학 경쟁력이 높아지느냐? 새 건물에 대한 수요가 실제 존재하는지 현장 실사를 하겠다"고 말했다. 현장 실사를 하겠다는 것은 사실상 신규사업에 대한 부정적 시각을 드러낸 것이라 볼 수 있었다. 신규 사업으로 예산편성에 반영할 의중이 있으면 구태여 건물신축의 필요가 있는지 현장 확인을 하지 않기 때문이다.

며칠 뒤, 예산실 담당관이 서울대학교를 방문하여 실사를 진행했는데 처음에는 시큰둥한 태도였으나 한나절 내내 동반하면서 상황을 겸손하게 설명하니 신축 필요성에 대한 이해의 폭이 넓어졌다.

(4) 생활과학대, 보건대학원 신축예산 확보까지 노력해야 하는 상황 – 늦장 신청이 타대학의 숙원사업에 영향 주어서는 안 된다고 판단

예상한대로 난관이 도사리고 있었다. 그해(2002) 서울대학교가 예산실에 요구한 신규 사업 예산은 생활과학대학과 보건대학원을 포함해 총 5개 사업이었는데 행정대학원 신축 예산 요구가 추가되어 도합 6개가 된 것이다. 서울대학교의 신규 사업 2 ~ 3개가 예산실이 생각하는 최적의 숫자이기 때문에 늦깎이로 신청한 행정대학원 신축예산 요구로 인해 오랜 기간 기다렸던 대학의 신축 예산요구(안)가 탈락될 위험을 결코 방관할 수 없었다.

나는 계속해서 예산실 실무자, 간부, 심지어 장 · 차관 면담을 통해 행정대학원 예산이 탈락하더라도 타 대학 예산의 탈락은 안 된다고 강변했다. 이제 행정대학원 예산확보에 그치지 않고 생활과학대, 보건대학원 강의동 신축예산을 동시에 관철해야 한다는 무언의 책임감으로 격상되기에 이르렀다.

생활과학대학의 경우 1975년 관악캠퍼스 이전시 지어진 건물로서 실험실습설비가 복도에 깔려 있을 정도로 협소하다는 점, 연건캠퍼스에 위치한 보건대학원의 경우 사회과학, 보건학, 의과학 등 다학제(多學際) 대학원의 특수성에 비추어 새로운 공간이 긴요하다는 점 등 스스로 익힌 해당 대학의 실정을 예산관계자들에게 일일이 설명하면서, 강의동 신축예산안을 '평균적' $1/n$사업으로 이해하지 말고, 우리나라 학문선도대학의 위상에 맞는 '혁신공간'으로 간주해달라고 읍소했다.

'지성이면 감천'이라는 말이 있듯이, 서울대학교 신규 예산 확보를 위해 설득과 공감대 형성의 노력을 쏟아 부은 결과 생활과학대학, 보건대학원 그리고 행정대학원 강의동 건립 신규 예산(안)이 그대로 수용될 것이라는 예비 통지를 받았다.

그러나 안도의 숨을 내쉴 겨를이 없었다. 정부예산의 국회 통과 바로 전날(2002년 12월) 밤 9시경, 서울대 예산요구(안)가 국회예산결산위원회 최종 심의과정에서 '과도한 지원'이라는 문제제기에 의거 여 · 야 실무팀과 예산실 간부 사이의 협의를 통해 보류될 수 있다는 소식을 들었기 때문이다.

나는 비가 세차게 몰아치는 저녁 10시경, 기획예산처 간부들이 저녁 요기를 하는 식당(예술의 전당 근처)을 알아내 그곳을 찾아가 방문을 두드렸다. 간부들은 늦은 시간에 예고 없이 들이닥친 나를 보고 깜짝 놀랐다. "내일 예산안이 국회를 통과하는데 아직 오늘 밤 시간이 남아 있으니 서울대 예산에 대해 마지막까지 우선순위를 유지해달라"고 호소했다. 핵심 간부는 "서울대 신규 사업이 보류된 상황을 어떻게 알고 이 늦은 시간에 이곳까지 찾아오셨느냐? 마지막 재량으로 조율할 재원이 있는지 확인해보고 노력하겠다"고 나의 초조함을 달래주었다.

만약 저녁 늦은 그 시간에 나의 호소가 없었더라면, 강의동 신축 예산 중 한두 개가 물 건너갈 수 있었을 것이라고 생각하면, 지금도 아슬아슬한 순간을 잊을 수 없다.

(5) 맺음말, 타이밍의 선택과 유비무환(有備無患)의 자세

2003년 계속비 사업으로 확정된 행정대학원, 생활과학대학, 보건대학원 교육동은 8년만인 2010년 5월 같은 공간에 신축되었다. 공교롭게도 제25대 서울대 총장에 당선된 시점이었다. 나는 8년간(2002~2010)의 과정을 회고하면서 평범하지만 중요한 사실을 확인했다.

첫째, 직선제 기관의 장은 책임감이 무겁다는 점을 다시 한 번 느꼈다. 상급자가 임용하는 직책과 달리 구성원의 의지로 선임되었다는 점에서 지지해준 교수들의 제안에 성사 여부를 불문하고 성심성의껏 대응하는 것이 자연스러운 책무라고 생각했다.

둘째, 결정의 완결에 이르기까지 과정과 절차를 완벽하게 파악하고 있어야 결정 단계별 타이밍을 맞출 수 있다는 점이다. 여러 단계 중 한 단계에만 제동이 걸려도 진행이 중단된다는 점을 인식해야 했다.

셋째, 겸손하게 당위성을 지속적으로 설명하면서도 양보할 수 없는 사안에 대해서는 당당함을 잃지 않아야 한다. 만일 이러한 자세를 취하지 않았다면 오랜 숙원사업이 표류되었을 가능성도 배제할 수 없었다.

넷째, 마지막 결정까지 긴장을 늦추어서는 안 된다는 평범한 사실이다. 어떤 결정 과정에서도 돌발 변수가 생길 수 있다는 점을 염두에 두고 만일의 사태에 대비해야 된다는 것이다. '유비무환'이라는 말이 평범한 말처럼 느껴지지만 결정의 완결까지 책임자가 잊어서는 안 될 교훈이다.

2) 후원회 참여가 치과병원 신관 신축의 씨앗이 되다(2004년)

(1) 초빙에 대한 성실한 대응이 신뢰의 출발

2004년, 서울대학교 치과병원 장영일 원장이 나를 '서울대학교 치과병원 발전 후원회' 이사로 초빙했다. 나를 이사로 초빙한 것은 내가 관악캠퍼스 교수의 한사람이라는 점에서 범 서울대적 구성을 충족시키려는 소박한 의도였던 것으로 짐작했다. 발전후원회 이사회가 법적기구도 아니고 사실상 병원기금모금을 위한 친목단체의 성격이 강했다. 내 옆방의 후배 동료 교수는 "실속 없는 회의 참석을 위해 한 시간 이상 소요되는 연건까지 갈 필요가 있는가"라고 충고하는 일마저 있었다. 나는 5년 선배인 장 원장의 후배에 대한 초빙에 성심성의껏 응하는 것이 최소한의 예의라고 생각해 한 번도 그 회의를 거른 적이 없었다.

출처 : 서울대학교 치과병원 홈페이지

2008년 5월 23일, 서울대치과병원 지원동 준공식

일 년에 두 번 정도 열리는 이 회의는 치과병원의 실상을 이해할 수 있는 기회였다. 2004년 서울대학교 병원으로부터 독립한 치과병원이 국내의 모범 의료기관이 되기 위해서는 병원 건물을 개축하고, 설비를 보다 철저히 갖출 필요가 있다는 치대교수들의 입장을 체감할 수 있었기 때문이다.

1년이 지나 치과병원장이 병원신축을 위해 정부에 신규사업예산을 신청했고, 팔방으로 노력하고 있으나 무위에 그치고 있다는 사실을 알았다. 병원장은 신규 예산확보를 위해 나의 조언을 청했다. 후원회 이사가 원장의 신규사업 추진에 앞장서는 것이 적절하지 않다는 것을 알면서도 원장의 헌신적 노력에 감탄해 동반하지 않을 수 없었다.

병원신축과 같은 소위 대형신규사업이 차기 연도 정부예산에 반영되는 것은 '낙타가 바늘구멍 들어가는' 정도의 어려움이 있다는 사실을 누구보다 잘 알고 있는 나로서는 난감할 수밖에 없었다.

(2) 공직자의 무한책임과 귀인(貴人)의 공감이 병원 신축 결실(結實) 맺어

치과병원과 원장을 도와야 한다는 '인간적 당위성'과 도울 역량이 미흡한 자신의 '무력감'사이에서 혼란을 겪던 중, 마침 노무현 대통령 시절 초대 인사 수석비서관을 지낸 서울대 입학동기 정찬용 동문(언어학과 70년 입학)으로부터 혹시라도 도움을 받을 수 있을까 하는 실낱같은 기대가 뇌리를 스쳤다. 즉각 연락을 취했고, 다행히 시간을 내줘 정 前 수석, 병원장이 세종문화회관 2층 커피숍에서 소중한 대화시간을 가질 수 있었다.

장 원장은 병원증축의 당위성을 강조했고, 정 前 수석은 직을 떠난 사람으로서 도움을 줄 수 있는 위치에 있지 않음을 토로했지만 진지하게 경청했다. 나는 고무적인 결과를 기대하지 않았고 "이제 내가 할 일은 다 했다"고 스스로를 위로했다.

'지성이면 감천'이라는 말이 있듯이, 우연한 삼자 회동이 서울대 치과병원 신축의 씨앗이 될 줄은 몰랐다. 다음 해 예산에 병원신축 예산이 책정되는 기적(?)같은 일이 일어났다. 아마도 정 前 수석이 병원신축의 당위성을 담당자들에게 논리적으로, 인간적으로 호소한 것이 실마리가 되었을 것으로 믿는다. 4년 후 신관이 완공됨으로서 치과병원의 경쟁력이 한 단계 격상되었음이 분명하다.

만일 장 원장이 나를 치과병원 후원회 이사로 초빙하지 않았다면, 그리고 초빙 받았다고 하더라도 형식적 얼굴 내밀기에 머물렀었다면, "치과병원 신축이 용이했을까" 라고 자문해보았다. 이 일을 통해 병원책임자의 무한책임을 향한 집요한 노력과 이에 대한 순응이 함께 어우러질 때 가시적 성과가 도출될 수 있다는 사실을 거듭 확인했다. 우연이 필연을 만드는 계기일 수 있다는 생각을 하게 되었다.

며칠 전 임플란트 치료를 위해 치과병원의 허성주 교수를 방문했는데, 치료 현장이 바로 그때 건립된 신관의 3층이었다. 10년 전 추억을 통해 풍요로운 밀밭 현장을 목격하면서 감동에 젖었다.

3) 원로 체육 교수의 집념에 동참하다(2004년)

– 대운동장에 우레탄 깔게 된 집념과 설득의 힘

(1) 대운동장 정비가 필요하다는 메시지 받아

2004년, 평소 교분이 없는 체육학과 임번장 교수가 나의 연구실을 찾았다. 노(老) 교수의 방문 목적은 먼지가 날리고 비가 오면 운동을 할 수 없을 정도의 열악한 서울대학교 대운동장을 정비하기 위해 우레탄을 까는 일을 도와달라는 것이었다.

나는 운동장 개선 사업에 공감했지만 대학본부 직책이 없는 나에게 그 문제를 호소하는 것이 안타까웠다. "왜 저를 방문하셨냐"고 물으니 임 교수는 "대학본부에 아무리 애기해도 반응이 없어서 후배 교수로부터 오 원장이 재정 전문가라는 이야기를 듣고 찾아왔다"고 답했다. 나는 "교수의 한 사람으로서 운동장 시설을 개선해야 한다는 데 공감하지만, 그 문제를 해결하는 데 아무런 역량이 없는 것이 안타깝다"고 답했다. 마음속으로는 힘껏 돕고 싶었으나 대학본부가 관심을 두지 않는 사안에 대해 돕겠다고 말하는 것이 본분에 벗어나는 일이라고 생각했다.

우연한 기회에 체육 관장 부서인 학생처장에게 운동장 개선사업 가능성을 물어보니 "예산이 없어 현재로서는 생각하기 어렵다"는 답변을 들으면서 외부 재원 확보가 긴요함을 확인했다.

(2) 국민체육진흥공단 설득 끝에 지원 확정

이런 시점에 서울대학교 행정대학원 국가정책과정에 국민체육진흥공단 이사장이 다니고 있다는 것을 알았다. 나는 대학 운동장 개선도 분명 체육진흥사업의 하나일 것으로 짐작하고, 즉각 임 교수에게 국민체육진흥공단에 운동장 개선 사업이 있는지 알아봐달라고 요청했다. 며칠 후 임 교수는 고조된 모습으로 나의 연구실로 다시 찾아와 "국민체육진흥공단이 운동장에 우레탄 깔기를 지원하는 프로그램을 운영하고 있음을 확인했다. 그러나 지원 받기가 하늘의 별 따기 같다"고 언급했다.

나는 특별과정에 재학 중인 이종인 공단 이사장을 만나 운동장 지원

사업 담당 실무자와 면담 주선을 부탁했고 그분은 흔쾌히 동의했다. 이런 일 일수록 실무 책임자의 이해와 조언이 필수적이기 때문이다.

나는 '서울대학교 운동장이 3만 명에 가까운 구성원과 인근 관악 주민들의 필수적 건강복지 공간이고, 운동장 이용을 촉진하려면 성능 개선 공사가 긴요하다'는 내용의 간결한 리포트를 만들었다. 관련 인사를 설득하기 위해서는 최소한의 명분이 있어야 하기 때문이다.

며칠 후 공단 박용재 상무를 찾아가 서울대학교 운동장 현황과 성능 개선 필요성을 호소했다. 담당자들은 체육학과 소속이 아닌 교수가 잠실에 있는 체육공단 사무실까지 오는 것을 보고 의아해했다. 담당자들은 운동장 지원사업 예산이 한정되어 있어 필수불가결한 상황에서만 지원이 가능하다고 말하면서 전국의 많은 기관들이 신청하고 있는 상태라고 어려움을 토로했다.

상황이 어렵다는 것을 감지하고 있던 차에 예기치 못했던 희소식이 왔다. 공단의 간부가 직접 전화하여 실무진의 검토 결과 3만 명에 육박하는 운동장 이용자의 규모에 비추어 운동장 개선을 지원하기로 입장을 정했다고 알려주었다. 그 순간 낙성대역에서 지하철을 타고 잠실역에서 내려 다시 택시를 타고 체육공단을 세 차례 왕복했던 피로감이 한꺼번에 씻겨 내려갔다.

(3) 총장이 흔쾌히 매칭펀드 지원을 수락해 결실을 맺다
– 공단의 예산증대에 힘써달라는 '숙제'를 이행하다

국민체육진흥공단은 지원규모를 특별한 공공적 사유가 없는 한 운동장 한 면당 3억 규모의 사업으로 한정했다. 그런데 서울대 운동장의 경우 일반 운동장에 비해 규모가 크고 이용자 수가 많아 표준

지원 사업규모로는 소기의 목표대로 운동장을 개선하는 데 한계가 있었다. 체육교육과 교수들이 집중적인 노력을 기울인 결과 서울대 운동장의 경우 국회 운동장의 지원 사례와 동일한 규모(25억 원)로 지원한다고 통지받았다.

그러나 일이 여기에서 끝나지 않았다. 세상만사가 그렇듯이 도움을 받으면 보은해야 한다는 어른들의 말씀이 적중했다. 국민체육진흥공단 임직원들은 서울대학교 운동장에 이런 규모의 지원을 하면 다른 지역의 운동장 지원에 할당된 예산이 줄어드는 만큼 국민체육진흥공단 운동장 사업 예산이 증가하도록 서울대학교가 앞장서달라고 요청해왔다.

나는 국민체육진흥공단 임직원들의 운동장 개선 사업에 대한 열의를 이해했고 기획예산처 예산실 심의관, 체육예산담당 과장을 만나 국민체육진흥공단이 시행하는 운동장 개선 사업의 중요성을 설명했다. 서울대 교수가 비용 · 효과 분석의 틀을 이용해 운동장 개선 사업의 높은 사회적 편익과 타당성을 주장하자 참석한 관리들은 미소를 감추지 않았다. 우리는 서울대 운동장 개선을 힘껏 도와준 국민체육진흥공단 임직원들에게 최소한의 책무를 했다고 생각했다.

운동장 사업을 마무리하기 위한 마지막 관문이 남아 있었다. 25억 원 규모의 운동장 개선 사업을 지원받는 경우, 40%에 해당하는 금액을 수혜 기관이 매칭 펀드로 부담해야 한다는 규정을 충족해야 했다. 쉽게 말해서 서울대학교가 10억 원의 재원을 분담해야 지원이 성립될 수 있다는 것이었다.

나는 정운찬 총장을 찾아가 그간의 경위를 설명하고 총장의 결심을 촉구했다. 총장은 "오 교수가 고생했다"고 격려하면서 즉각 10억

원의 매칭 펀드 지원을 확약했다. 정 총장의 흔쾌한 결정으로 운동장 개선 사업은 1년 내에 완성을 보게 되었다.

(4) 맺음말, 삼위일체(三位一體) 노력의 완결

우레탄을 깔아 종합운동장의 활용도를 높이는 이 사업은 총 사업비가 25억 원에 불과하지만 막연한 의지→ 착수 과정 → 사업 완결이 원만하게 진행된 모범사례로 간주할 수 있다.

첫째, 정년을 얼마 앞둔 원로교수의 하드웨어 시설 개선 의지가 집념으로 이어져 값진 씨앗을 심었다.

둘째, 국민체육진흥공단 '운동장개선사업'의 존재를 확인하고, 합리적 근거와 치밀한 분석을 통해 사업의 필요성을 성실히 설명한 것이 지원 결정의 전환점이었다고 할 수 있다.

<표7> 운동장 우레탄 사업의 전개과정

출발점	체육과 원로교수의 집념	
과 정	체육진흥공단 설득	- 공공사업의 합리적 근거 - 자원배분의 우선순위 입증 - 성의있는 태도
완 결	총장의 즉각적 지원(매칭펀드) 약속	

지원을 결정하는 부서에 '사업의 필요성'을 설명하는 수준은 사실상 사업을 추진하는 기관의 핵심 역량이라는 점을 간과해서는 안 된다. 왜냐하면 사업을 따내려는 기관은 모두 자기 사업이 제일 중요하다고 주장하지만 사업을 결정하는 기관의 입장에서는 제한된 가용자원의 범위 내에서 수많은 사업요구 중 우선순위가 높은 제안을 채택해

야할 의무가 존재하기 때문이다. 따라서 꼭 해야 한다는 일방적 '당위론'에 치중하지 않고, 실상에 대한 객관적 진단의 토대 위에서 새로운 사업이 창출할 공공적 · 사회적 가치를 설득력 있게 제시해야 한다.

이 과정에서 서울대학교에 대한 특혜 논란으로부터 자유롭기 위해 비용 · 효과 분석의 틀 속에서 자원배분의 우선순위를 입증하고, 성의 있는 공감대 형성에 주력했음이 암묵적 성공요인의 하나였다고 볼 수 있다.

셋째, 마무리 과정에서 총장의 흔쾌한 격려의 리더십이 완결을 이루었다. 이 세 가지 요소가 삼위일체가 되어 결실을 이루어 낸 이 사례 역시 대학행정가들이 눈여겨볼 가치가 있다고 생각한다.

4) 약초원이 서울대 부지로 남게 되다(2005년)

– 약대 교수의 헌신과 미래가치에 대한 집념에 동반한 보람

(1) '약초원' 책임 맡은 교수가 국유재산 환원 문제로 찾아오다

– 기획재정부와 적극적 소통, 국유재산 환원 백지화

2005년, 약대 김영중 교수가 나의 연구실을 방문, "약학대학이 관할하는 약초원 일부 부지가 국유재산으로 환원될 어려움에 처해있다"고 도움을 호소했다. "오 교수가 대학 일에 정성을 쏟는다"는 소문을 듣고 "무엇인가 도움을 구할 수 있지 않을까 하는 막연한 기대를 갖고 찾아왔다"고 했다. 그때까지도 서울대학교에 '약조원'이라는 연구 · 실습 공간이 있는지도 몰랐었는데 김 교수의 방문으로 약초원이 생약 교육 · 실험 시설임을 알게 되었다.

김 교수는 약초원이 서울대학교 관리부지로 유지되는데 기획재정부 국고국의 정기적인 승인이 선행되어야 한다면서 대학본부 담당

과에 여러 차례 도움을 청했으나 움직여주지 않았다고 토로했다.

김 교수는 "기획재정부 국유재산과의 국유지 실태 암행조사에서 식물이 재배되지 않은 것을 보고, 적절한 관리를 하지 않는다고 판단하여 환수조치하려 한다"고 해서 달려왔다고 했다. 아마도 암행조사가 겨울철에 이루어져 약용 식물을 이미 거둔 상태라는 점을 간과한 것이었다.

김 교수로부터 실상을 들은 후, '가만히 있으면 무책임하다'고 생각해, '나름대로 노력해야겠다'고 결심했다. 약학자인 김 교수가 서울대학교 관리재산(관리를 위탁받은 국유재산)인 약초원이 제 기능을 살릴 수 있도록 헌신적 노력을 기울이는 것을 보고 감동했기 때문이다. 워낙 명쾌하게 약초원의 실태를 설명했기에 문외한인 나도 즉각 이해하고 문제의 핵심을 파악, 문제해결에 동참할 수 있었다.

며칠 후 기획재정부 국유재산 담당 직원과 통화해서 약초원의 실상과 겨울철의 특수성을 설명하고 이런 상황을 정확히 전달하기 위해서 김 교수가 찾아갈 테니 면담해 줄 것을 정중히 호소했다. 담당 공무원이 즉각 제안을 수용한 결과, 김 교수는 관련 자료를 갖고 그들을 만나 실상을 설명, 재고를 요청했다. 국유재산과 공무원들은 김 교수와 면담 후 서울대 입장이 근거가 있다고 판단해, 재점검을 거쳐 약초원의 국유재산 환원계획을 백지화했다. 김 교수의 논리 정연한 대응과 연구 비전의 제시, 그리고 헌신적 노력이야말로 '국유재산 활용 상태의 부진'을 근거로 한 기획재정부의 환수 시도를 백지화시킨 동력이었다.

이 일을 계기로 약초원장 김 교수의 열성적 지지자가 되었고, 자연스럽게 약초원의 성장 과정에 동참하게 되었다.

출처 : 서울대학교 약학대학 홈페이지

서울대 약초원에서 약용 식물을 재배하고 있다.

그 뒤, 2010년에는 기획재정부로부터 국유재산 사용 허가를 재취득함으로써, 서울대학교 위탁재산으로서의 법적 지위를 견고히 했다.

2011년, 서울대학교가 국립대학법인으로 전환되면서, 서울대학교가 관리하던 국유재산을 서울대학교 법인으로 무상 양여하는 과정에서 약초원은 아무런 논란 없이 100% 서울대학교로 귀속되었다.

당시 서울대학교 위탁 · 관리 재산을 실사하던 기획재정부 국유재산과 공무원들이 약초원을 방문하여 현장의 연구 · 교육 실태를 확인한 후 "이렇게 국유재산을 당초 목적에 빈틈없이 활용한 곳은 처음 보았다"며 찬사를 아끼지 않았다. 환수하려고 시도했던 6년 전의 태도를 회고해보면, 그야말로 상전벽해와 같은 변화라고 생각할 수 있다

(2) 맺음말, 연구와 대학의 목표를 일체화한 '진정한 주인정신' – 20년의 철저한 공복 정신이 풍요로운 밀밭을 이루다

강의 · 연구에 전념하는 교수가 20년 동안 약초원장을 맡아 맨손으로 황무지를 일구어 우리나라 최고 수준의 생약 실험 · 연구 공간으로 만들어낸 것은 리더십 연구자들의 관심을 가질 만한 가치가 있다.

나는 김 교수의 개인적 역량과 약초원장 20년 근속이 풍요로운 밀밭 실현의 동력원이었다고 생각했다. 김 교수는 약초원이 곧 나의 일이고, 약학대학의 일이고, 서울대학교의 일이며, 더 나아가서 생약학 연구자의 일이라고 생각했다. 소속 대학의 목표와 전공 학문의 목표를 일체화함으로써 무에서 유를 창출하는 열매를 맺었다.

김 교수는 자신이 해야 할 일을 스스로 찾아내는 선도형 기관장이었다. 일을 찾아내면 지체하지 않고 실천에 옮겼다. 한 번도 만난 적이 없는 나를 찾아와 약초원의 학술적 가치를 30분 내에 설득시키는 김 교수의 집중력에 다수의 기획재정부 관계자들이 공감 · 동참했을 것이라 쉽게 짐작할 수 있다.

나는 김 교수가 약초원이 안고 있는 미지의 난제들을 풀어갈 때 철저한 '주인 정신'으로 무장한 채 사적 자원을 총가동하는 철저한 '헌신의 리더십'의 전범을 보여주었다고 확신하고 있다.

김 교수의 이러한 개인적 역량도 한정된 임기로는 성과를 거두기 어렵다는 점을 지적하고 싶다. 만일 "김 교수가 단임 2년, 연임해서 4년의 임기만을 채웠다면 오늘의 약초원이 존재했을까"라는 가설적 질문에 나는 단연코 "아니다"라고 답할 것이다. 백지상태에서 새롭게 출발하는 기관은 초기 책임자가 10년 이상 투혼을 쏟아야 기관 형성(institution building)을 제대로 할 수 있고 발전 궤도로 진입할 수 있다.

김 교수는 20년간 아기를 지극정성으로 돌보는 모성애와 사실상 약초원의 진정한 주인이라는 마음으로 하나하나를 거두었다. 나는 김 교수가 정년 후에도 약초원의 발전을 위해 기여할 것을 확신해, 2년간 약초원 상근고문으로 임용하도록 약대 학장에게 권유했다.

4. 동료교수들과의 신뢰 형성 기회

1) 가톨릭 교수회의 결성(2004년)

2000년대 초반, 교수 한 분으로부터 이메일을 통한 영성메시지를 자주 받았다. 깨우쳐야 할 내용이 많아 메시지를 정리해 놓곤 했다. 어느 날 학장회의에서 농생대 신임학장으로 부임 인사를 하는 분이 그 메시지를 보내준 이무하 교수임을 알게 되었다.

같은 가톨릭 교우로서 학장회의에서 자주 만나면서 서울대학교 가톨릭 교수 공동체를 결성할 필요가 있다고 공감했다. 처음에는 '대건회'라는 명칭을 쓰려고 했으나 이미 직원들이 쓰고 있어 '하상바오로

출처 : 천주대 서울대교구 낙성대동성당 홈페이지

2006년 6월 2일 서울대 교수회관에서 거행된 가톨릭 미사에서 강론하시는 정진석 추기경님, 왼쪽은 박홍 신부님(前 서강대 총장)

회'라는 이름을 붙였다. 이렇게 출범한 하상바오로회는 낙성대 성당에서 정기적으로 아침 미사를 갖고, 학기마다 학생 · 직원과 함께 개강 · 종강 미사를 개최했다. 200명 이상 되는 것으로 추정되는 가톨릭 신자 교수들은 결속력이 낮아 활발하게 활동하지 못했지만, 가톨릭 모임결성을 계기로 신앙 공동체의 씨앗이 심어졌다고 믿었다.

하상바오로회는 서울대학교 기숙사에 거주하는 가톨릭 학생들을 위해 공소(公所, 성당으로 승격되기 이전의 간소한 집회 장소) 수준에 머물렀던 미사 공간이 '성당'으로 격상되도록 서울교구청에 많은 노력을 기울였다. 교구청의 배려로 낙성대 성당이 승격하게 됨으로써

출처 : 서울대학교 홈페이지

2014년 3월 13일 문화관 중강당에서 염수정 안드레아 추기경님께서 서울대 개강 미사를 집전하셨다. 서울대 교수, 직원, 학생 등 300여 명이 참석한 이날 개강 미사의 강론에서 추기경님은 종교의 벽을 넘어 서울대 구성원은 물론 이 시대 젊은이들에게 화해와 평화 그리고 희망의 메시지를 전하셨다.

인근 주민은 물론 외국인 학생, 기숙사 거주 학생들이 편히 미사에 참여할 수 있게 되었다.

하상바오로회는 2006년 6월 2일, 정진석 추기경님을 모시고 서울대학교 교수회관에서 전국 가톨릭 교수단을 위한 미사를 집전하는데도 힘을 기울였다. 분망한 일정으로 겨를이 없으심에도 멀리 서울대까지 방문하신 것은 추기경님의 은혜로운 배려라고 생각했다. 6·25 동란 중 서울대학교 공과대학을 중퇴하고 사제의 길을 걸으신 뒤 처음으로 서울대학교를 찾으신 뜻깊은 방문이었다. 정진석 추기경님의 후임으로 취임하신 염수정 추기경님께서도 2014년 3월 13일, 서울대학교 개강미사를 집전해주시는 파격적 은혜를 베풀어 주셨다.

2) 정보화본부 사무관 증원 도움 요청이 만들어낸 신뢰(2004년)

(1) 정보화본부장의 급작스런 내방과 애로 청취 – 관련 중앙부서 방문해 증원 필요성 역설

2004년경, 김형주 정보화본부장(컴퓨터공학부 교수)이 예고 없이 연구실로 찾아왔다. 처음 대면임에도 김 본부장은 정보화본부의 실상을 설명하면서, 직원들의 사기진작과 폭증하는 업무의 효율적 처리를 위해 사무관 증원이 필요함에도, 교육부, 행정안전부가 미동도 안한다고 어려움을 토로했다. 내가 행정대학원 소속 교수로서 행정의 흐름을 알 테니, 조언을 청하는 것이었다.

기관의 책임자가 중간간부급 직책 하나를 늘리려고 생면부지의 교수를 찾아와 호소하는 것을 접하면서 이분이 공직자로서 책임감이 투철하다는 것을 즉각 깨달았다. 보통 2년 임기를 채우고 떠나면 된다는 생각을 하는데, 학과일은 물론 공무로 분망한 교수가 이렇게 정성을 쏟는 것을 보면서 어떻게든 동참해야 한다고 생각했다.

나는 김 교수에게 사무관 증원이 필요한 사유를 객관적으로 설명하는 요약본 보고서를 작성해 달라고 요청했고, 다음날 직접 들고 내 연구실로 찾아왔다. 사무관 증원의 경우 일반인들은 이해하지 못하지만 사실 어려운 일이다. 정부 각 부서가 매년 증원요청을 해오지만, 중앙 주무부서(당시 행정자치부)는 일단 증원을 억제하면서 제한된 범위 내에서 우선순위를 선별하는 과정을 거친다. 원래 이 일은 대학의 사무국장이 해야 하는 일이지만, 보통 공문요청이나 전화 한통으로 마무리하려고 하기 때문에 유효한 결과를 기대하기가 어렵다.

나는 김 교수의 요약보고서를 들고, 행정자치부 주무 사무관 · 과장과 예약을 잡아 30분간, 서울대 정보화본부의 업무 폭증과 관리직 공무원의 부족을 설명했다. 담당자는"과다한 기술직 직원 숫자에 비해 관리직 공무원이 적네요"라고 일부 수긍하는 태도를 보이는 것을 보고 일단 안도했다.

여기에 그치지 않고, 증원의 마지막 키를 쥐고 있는 기획예산처(현재, 기획재정부) 예산실 예산관리과를 예고 없이 방문해 서울대 사무관 증원의 필요성을 역설했다. 담당과장이 "교수님한테 강의도 듣고, 교수님 책으로 행정고시 준비를 했어요. 교수님이 이런 일로 직접 오시다니..."라는 인사말을 접하면서 상당 수준의 신뢰를 느꼈다. 담당사무관으로부터 "만일 행정자치부가 승인하면 우리로써는 긍정적으로 검토하겠다"는 답변을 얻어냈다. 불과 일주일 만에 정보화본부 사무관 증원에 대한 입장이 정리되어 가고 있음을 느꼈다.

(2) '진심의 호소력'이 목표의 완결과 20년 신뢰로 이어져

새로운 자원을 확보하는 과정에서, 그것을 결정하는 당사자들에게 정직하고 치열하게 핵심을 전달하는 자세가 매우 중요하다. 공문을 통해서는 그러한 메시지 전달이 한계를 띨 수밖에 없다는 점에서, 책임자가 직접 당사자와 소통하려는 '진심의 호소력'이 주요 변수의 하나임에 틀림없다.

많은 관리자들은 공문이나 이런저런 인연을 통해 전화통화 등 손쉬운 방식에 익숙하지만, 기관의 역할을 심화시키는 안건이야말로 책임자들의 유언 · 무언의 헌신이 완결에 이르는 과정에서 필수적 요소의 하나라는 점을 인식해야 한다. 특히 그러한 소신이 당사자의 감동을 일으킬 수 있는 수준이라면, 사안의 성사여부를 떠나 가치 있는 공복의 역할이라는 믿음을 지녀야 한다.

사무관 증원문제로 김 본부장을 알게 된 이래 지금까지 19년 동안 한결같은 우정을 유지해오고 있다. 나의 총장 재직 중 김 교수는 4년간 '발전기금' 상임이사를 맡아 서울대 역사상 최대 규모의 발전기금 모금을 이루어냈다. 사무관 증원 문제로 만나는 과정에서 정성, 헌신, 일관성, 정서적 의존 등을 공유할 수 있었던 것은 나 자신에게 크나큰 선물이라고 생각했다.

직을 떠나고 일정 시간이 지날수록 함께 일했던 분들과 소통의 기회는 줄어드는 것이 일반적임에도 불구하고 김 교수는 총장 당선일(5월 1일)이면 한번도 빠짐없이 기억을 되새겨주고, 가족의 행복을 기원하는 완벽한 상호신뢰를 유지하고 있다. 정보화본부 사무관 증원이 만들어낸 인간승리의 쾌거라고 언급한다면 지나친 표현일까?

3) 수탁받은 연구과제를 해당 전공 교수들의 몫으로(2009년)
– 농촌지도소 쇄신과제를 농경제학부 교수들에게

(1) 농촌진흥청장으로부터 정책연구과제 수탁 받아

2009년, 손정수 농촌진흥청장으로부터 '농촌지도소의 역할 쇄신'에 관한 연구용역을 수행해달라는 요청을 받았다. 아무런 소통을 하지 않았음에도 상당한 규모의 정책 연구를 수행해달라는 차관급 기관장의 요청에 감사할 뿐이었다. 아마도 행정고시 동기(17회)인 청장이 기관장이 되고 나서 행정대학원 소속인 나를 배려해 준 것으로 이해했다.

반가운 마음도 잠시뿐, 곰곰이 생각하니 내가 이 과제를 수행해야 할 명분을 찾기 어려웠다. 재정이 전공인 내가 농촌지도소의 혁신을 위한 방안을 제안한다는 것이 무리라고 생각했다. 심사숙고 끝에 이 연구과제를 농업생명대학 농경제학부 교수에게 맡기는 것이 바람직하다고 판단했다. 즉각 농경제학부 김완배 교수에게 상황을 설명하니 흔쾌히 제안을 수락했다. 이런 과정을 거쳐 농촌진흥청 연구과제는 농경제학부 교수들이 수행하고 나는 자문명목으로 참여하기로 했다.

(2) 자신 없는 영역의 과제는 당연히 해당 전문가에게
– 과학영농의 필요성 인식의 계기

농경제학부 교수들은 농촌진흥청 소속의 농촌지도소 쇄신을 모색하는 일이 그들 본연의 과제라고 생각해 열심히 연구를 진행했고, 나는 곁에서 농촌진흥원의 역할과 구조를 접할 수 있는 기회라고 생각했다.

사례연구를 위해 농경제학과 교수들과 일본 홋카이도 삿포로시 근교의 농촌지도소를 방문하면서 놀라지 않을 수 없었다. 농촌지도소 관리가 안내해 준 모범 농가를 방문했는데, 젊은 영농가의 실험실이 교수연구실 빰칠 정도로 과학적 자료를 축적하고 첨단설비를 활용하는 연구 현장임을 확인하며 우리 농업도 하루 빨리 명실상부한 과학영농으로 나아가야 된다는 점을 깨달았다. 농경제학과 교수들은 정성을 다해 과학영농의 기반을 다지는 농업지도소의 쇄신 방안을 제시했다.

고시동기로부터의 우연한 연구과제 위촉이 농경제학과 교수들의 식견을 접하고 인간적 유대를 가질 수 있었을 뿐 아니라 일본현지를 답사하여 과학영농의 당위성을 체험할 수 있는 값진 기회로 진전된 것이다. 아마도 수탁받은 내가 몇몇 동료교수들과 끙끙거리며 과제를 안일하게 수행했다면 연구결과가 부실했을 가능성이 높다. 물론 농경제학과 교수들과의 값진 기회도 오지 않았을 것이다.

자신의 전공을 살리기 어려운 분야의 연구 제안은 해당 분야의 교수들에게 책임을 맡기는 것이 자연스러운 교통정리이다. 나는 연구를 주도하지 않고, 어디까지나 조연으로 참여하였지만 아직껏 당시의 연구 참여에 자부심을 간직하고 있다.

4) 기금교수와의 호쾌한 만남(2010년)
– 구체적 목적 없어도 후일의 값진 교훈 미리 배울 수 있어

(1) 의대교수들의 만남 요청에 흔쾌히 응해
– 기금교수라는 사실 알았음에도 격의 없는 대화

2010년 봄, 총장선거를 몇 개월 앞두고, 의대교수 몇 분으로부터

만나자는 연락이 왔다. 아마도 유력후보의 한사람이라고 간주했기에 만나자고 했을 것으로 생각해서 고마운 심정으로 63빌딩 중식당에 약속을 잡았다. 의대교수 네 분과 대화를 나누는데, 이분들이 병원과 의과대학의 현안과제에 관심을 갖지 않고, 유독 기금 교수의 처우와 정식교수로의 전환 문제에 대해서 집중적으로 의견을 피력했다. 나는 '선생님들이 기금교수 문제에 관심이 많으신가요'하고 물으니, 자신들이 기금 교수를 대표하고 있다고 답했다. 그때까지 기금 교수인지 모르고 대화를 나눈 나 자신이 그만큼 실정에 어두웠던 탓이라고 생각하면서, 3시간의 대화를 마무리했다.

그분들이 총장투표권이 없는 기금교수라는 사실을 알고 난 뒤에도 변함없이 진지한 태도로 대화를 나누었다. 어려운 사정에 처해있는 기금교수의 입장을 충분히 경청하는 것도 '공복으로 나가고자 하겠다는 사람의 기본자세'라고 스스로를 채찍질했다. 만찬 도중 관악의 참모 교수가 전화를 걸어 "지금 만나는 분들과 회식을 빨리 끝내고 관악의 연구실로 들어오라"고 채근 했지만, 미동도 하지 않고 10시경까지 진지한 대화를 마무리했다. 투표권이 있고 없고를 불문하고 서울대 구성원이라면 격의 없이 대화하는 것이 후보의 책무라는 생각이 결코 흔들리지 않았다.

그분들과 대화를 해보니, 무늬만 '기금교수'일뿐, 소속 전공분야에서 주목받는 임상교수일 뿐 아니라 역량도 남다르다는 것을 느낄 수 있었다. 3시간의 대화를 통해 의대와 병원의 기금교수 문제의 해법이 두 기관의 역할을 한 단계 격상시키는데 필수적 요소라는 것을 깊이 깨닫는 무언의 소득을 얻었다고 생각했다.

(2) 기금교수 문제 해결의 당위성 사전 학습의 계기

총장 취임 후 법인화작업을 마무리하는 과정에서 의대 기금교수의 법인교수전환이 핵심의제의 하나로 대두했다. 많은 간부들이 기존 의대 300여명 교수에 200명 가까운 기금교수를 법인교수로 전환하면, '대학간 균형이 깨진다'는 점을 지적하면서, 의대기금교수의 법인교수전환에 신중한 입장을 취해야 한다고 강조했다. 보직교수 한 분은 "기금교수 전원을 법인교수로 전환해주면 무려 500명에 가까운 의대교수가 총장선거를 좌우한다"는 우려를 표명하기도 했다. 나는 대학이 정치결사단체가 아닌 학문기관이라는 점에서, '교수 숫자가 많아진다고 균형이 깨진다는 발상에서 벗어나야 한다'는 주장을 굽히지 않고 기금교수의 법인교수 전환 원칙을 결정했다. 초기에 100여명 이상의 기금교수가 법인교수로 전환되었다. 법인교수 전환 과정에서 의과대학 내부(특히 해당 학과) 사정상 '옥석을 가려야 한다'는 신중론이 대두하는 상황이 발생해 단계별 전환으로 입장이 정리되었다.

기금교수와의 만남은 기금교수의 법인교수전환 당위성에 견고한 입장을 가지게 된 사전학습의 기회였다. 목적이 없는 만남이 오히려 부담이 없어 좋았을 뿐 아니라 긴 안목에서는 미리 사안의 본질을 파악할 수 있는 기회라는 여유를 가졌다.

기금교수와의 회동사례에 비추어, 구성원들을 만날 때 그들의 투표에 임하는 태도를 지나치게 의식할 필요가 없다고 생각했다. 그들로부터 현안문제의 본질을 파악할 수 있는 객관적 정보의 공유가 이루어짐으로써, 보다 긍정적 의사결정에 접근할 수 있다는 사실을 과소평가해서는 안 된다고 보았다. 설령 나와 일정 거리가 있는 사람마저도 대화를 통해 소중한 실상을 확인하고 의사결정에 반영함으로써 보다 양질의 결정으로 나아갈 수 있다는 사실을 간과해서는 안 된다고 믿었기 때문이다.

5. 위기 상황에서 고언(苦言)할 수 있는 기회

1) 차마 입이 떨어지지 않는 '사임'의 고언(2002년)

(1) 서울대 총장실 점거사태 발생
- 감사원 특별감사 방침 접하고, 진언을 결심

2002년, '모집단위 광역화'를 반대하는 학생들이 서울대학교 총장실을 점거하고 총장실에 비치된 개인 자료를 유출하여, 그중 일부를 언론에 흘리면서 대학 본부를 압박하는 사태가 벌어졌다. 공개된 자료 내용의 문제 여부를 떠나 학문의 전당 최고책임자 책상에 놓여 있는 자료를 그것도 불법점거 학생들이 일부 언론에 공개하는 사태는 교수의 한 사람으로서 가슴 아픈 일이 아닐 수 없었다. 학생들은 책임자의 이면(裏面)을 파고들어 자신들의 목표를 관철하는 강도 높은 전략을 구사하는 듯했다. 이런 사태를 접할 때면, 불법행동에 대해서는 관대하면서 불법행위자들의 일방적 주장을 여과 없이 받아들이는 불균형한 현실이 아쉬울 뿐이었다.

학장회의 구성원의 한 사람으로서 사태를 주시하고 있는 시점에, 고위직 정부 관리로부터 전화를 받았다. 오래전부터 연락을 주고받는 사이인 그분이 어려운 상황을 말해주었다. 정부 수뇌부에서 서울대 사태를 보고 받으면서, 서울대를 대상으로 감사원 특별감사를 실시하라는 직무명령이 내려졌으니 잘 대처해야 한다는 것이었다.

나는 이 사실을 접하면서 충격을 가라앉히기가 힘들었다. 감사원의 정기 감사는 주기적으로 이루어지지만 특별감사는 구체적 목표를 갖고 특정사안의 위법 · 부당을 집중적으로 조사하기 때문이다. 이런 사실을 잘 알고 있는 나로서는 어떤 행동을 취하는 것이 바람직할지 고민에 빠졌다. 총장실을 대상으로 특별감사가 실시될 경우, 소위 타깃(target)이 있을 텐데 타깃을 정해 감사요원들이 집중적으로 조사하는 과정에서 어느 누구도 자유로울 수 없는 것이 현실임을 알고 있기에 상황이 위중함을 절감할 수밖에 없었다.

(2) 후유증 줄이기 위해 '사임' 직언

나는 숙고 끝에 내가 모시는 분에게 피해가 최소화되어야 할 뿐 아니라 이로 인한 대학의 권위 손상 역시 막는 것이 급선무라고 판단했다. 이러한 판단은 궁극적으로 모시는 분에게 사태가 확대되기 전에 사임을 조언하는 것이었다. 이러한 조언이 논리적으로는 바람직할지 모르지만 실제 이를 실천하기란 불가능에 가깝다. 아무리 옳은 일이라고 해도 '상관에게 물러나셔야 된다'라는 직언을 하는 것은 참으로 어려운 일이다. 점점 위기는 다가오는데, 아무도 진언을 하는 사람이 없었고 주요 참모들은 사태를 주시하고 있을 뿐이었다. 나는 내가 모시는 분을 위해서, 그분이 나를 어떻게 나무랄지 몰라도 직언을 드려야겠다고 결심했다. 진정으로 그분의 어려움을 조금이나마 완화하는 것은 그분이 '조기 사임'하는 것뿐이라고 입장을 정리했다.

용기를 내 공손한 자세로 말씀드렸다. "사태가 어려워지고 있습니다. 제가 신뢰할 수 있는 정부 요인과 통화한 결과, 빨리 사퇴 의사를 표시하실수록 사태가 진정될 것 같습니다. 어린 사람이 감히 이런 불경스러운 말씀을 올리게 됨을 널리 혜량해 주십시오. 제가 이런 제안을 드리는 것은 진정한 존경과 애정의 표현입니다" 그분은 사실상 나의 고언을 마음속으로 수긍하지는 않았겠지만 나의 진정성과 타이밍에 대해서는 이해하시는 것으로 보였다.

그분은 다음날 오전 사퇴 의사를 밝혔고, 정부는 사표를 수리했다. 사표 제출이 나의 고언에 영향을 받았는지, 아니면 스스로 결단을 내리신 것인지는 아직껏 대화를 나눈 적이 없어 알 길이 없다. 그 뒤 감사원 특별감사팀이 서울대를 방문, 조사했다는 소식을 접하지 못했고 서울대 사태는 일단락되었다.

(3) '어려운 상황 방관보다 적극적 대처 노력'이 값져

고언을 실행하고 난 뒤에도 마음이 무척 무거웠다. 심지어 그분을 보좌하는 보직교수들 중 나중에 나의 진언을 접한 몇 분들이 나의 무례함(?)을 나무라기도 했다. 모시는 분을 정중히 모셔도 아쉬움이 따르는데 반대로 그분의 뜻에 거스르는 고언을 드리는 것 자체가 스스로 감당하기 어려웠다.

당시 서울대학교 사태를 정확히 파악하고 있었고, 정부 핵심라인에서 어떻게 대응하고 있는지를 명확히 알고 있었던 것이 나의 불경이라면 불경일 수 있었다. 객관적인 상황을 알고 있는데도 '나에게 돌아올 원망'을 고려하여 주저하는 것이 오히려 나의 책무를 방관하는 것이라고 생각했다. 이런 믿음이 나의 고언을 가능하게 했고, 그분은 불편한 심기에도 불구하고 나의 고언을 경청했다고 본다.

인간은 누구나 자신에게 닥친 어려움의 본질이 실제보다 과장된 것이라고 믿기에 어려움을 부인하거나 방관하기 쉽다. 그러나 어려움이 큰 것이든, 사소한 것이든 어려움으로 드러난 이상 어려움을 극복해야 한다. 어려움을 극복하기 위한 노력의 한 형태는 어려움을 줄이기 위해 어려움을 있는 그대로 수긍하고 어려움으로 인한 파급을 줄이기 위해 조속히 근원적으로 대처하는 것이다.

나는 그분이 서울대 사태로 인해 안게 될 어려움이 더 큰 어려움으로 확대되는 것을 막기 위해서는 초기단계에서 어려움을 종결하는 결단을 내리신 것이라고 판단했다. 더 큰 어려움으로 확산되는 것을 막기 위해서는 어려움을 일찍 정리함으로써 개인의 평안을 회복하고, 기관에 미치는 부정적 파급효과를 일찍 차단할 수 있기 때문이다.

2) 학장의 반발 무마 위해 총장에게 '먼저 손을 내미시라'고 진언(2004년)

(1) 자신에게 통지없이 행정실장 임용했다는 이유로 직원 출입금지 – 총장이 '학장실 방문 건의' 수용

2004년, 당시 총장이 법대 행정실장을 임용하는 과정에서, 법대 학장이 자신의 동의 없이 임용되었다는 이유로 행정실장실 문을 잠그고 신임 실장의 출입을 금한 웃지 못 할 일이 벌어졌다. 실무진의 사전 조율만 있었더라도 일어나지 않았을 일이 법대 학장의 항명 모습으로 비춰지게 되었다. 만일 출입기자가 이 사실을 알았다면 보도했을 가능성이 높았다. 서울대와 관련해서 무슨 새로운 일이 없는가에 몰입하고 있는 출입기자로서 법대 학장이 총장의 인사권에 반발해 실장실 문을 열어주지 않는다는 보도는 분명 사람들의 관심을 불러일으키기에 충분했다.

이런 사태를 맞아 어느 누구도 총장이나 법대 학장에게 원만한 마무리를 권하는 분위기가 없었다. 나는 총장이 직접 '결자해지(結者

解之)'에 나서야 한다고 판단했다. 왜냐하면 법대 학장에게 사전에 임용사실의 통지를 안 한 것은 궁극적으로 인사담당자의 과실이고, 인사담당자를 감독하는 것은 총장의 책임이라는 점에서 법대 학장의 불만을 일방적으로 비난할 수만은 없기 때문이다. 이유여하를 막론하고 대학에서 인사행정의 문제로 시끄러운 것은 교육기관 책임자의 체통을 떨어뜨리는 일이다.

학장회의 구성원의 한 사람으로서 이런 사태를 방관할 수 없었다. 용기를 내서 총장에게 "신속히 법대 학장을 만나 임용과정에서 사전 통지가 안 되었음을 안타깝게 생각하니, 노여움을 풀도록 하는 것이 최선의 방안입니다"라고 진언했다. 총장은 처음에는 나의 고언에 불쾌감을 감추지 않았지만, 결국 "오 교수 충고대로 하겠다"고 답하면서, 지금 당장 법대 학장실로 함께 가자고 했다. 총장이 학장실로 찾아가니, 학장이 깜짝 놀랐다. 아마도 총장이 직접 학장실로 찾아올 줄은 상상을 못했기 때문이었을 것이다. 두 분이 "임용문제에 관해 소통이 원활하지 않았다"는 대화를 하면서 서서히 긴장감은 풀어졌다. 몇 시간 후 법대 행정실장의 출입이 자유롭게 되었다.

(2) 고언을 받아들인 상급자의 포용이 진정한 용기
– 상급자가 하급자에게 사과하는 것은 더 큰 용기

총장이 피임용권자인 학장에게 사실상 사과의 뜻을 전하는 일은 흔한 일이 아니다. '사과의 뜻을 전하시라'는 고언을 하는 것은 더더욱 상상하기 어렵다. 그러나 이 과정에서 가장 우선적인 관심은 이런 우스꽝스러운 일이 학내 구성원이나 언론에 알려지지 않도록 사전 수습하는 일이 급선무라고 판단했다. 만일 이 일이 신문에 한 줄이라도 보도된다면 서울대학교 본부가 조롱거리가 될 수 있고, 대학의 권위가 손상 받을 수 있다는 점을 간과할 수 없었다. 이런 판단이 총장의 입장에서는 '불경스러운 행동'일 수 있는 일을 하도록 용기를 불어넣어준 단초가 되었다. 총장이 피임용권자인 나의 고언을 충실이 수용해준 것이야말로 남이 흉내 내기 어려운 '진정한 용기'라고 지금껏 기억하고 있다.

갈등 발생시 먼저 손을 내미는 것이 진정한 용기
먼저 손을 내미는 사람이 진정한 승자
윗사람이 먼저 손을 내미는 일 : 지도자의 값진 덕목

조직 내에서 문제가 불거졌을 때, 지위 고하를 막론하고 문제를 풀려고 먼저 손을 내미는 사람이 진정한 승자라고 생각한다. 보통 아랫사람이 윗사람에게 사과하는 것을 일반적 유형으로 생각하지만, 오히려 윗사람이 아랫사람에게 사과하는 것이 진정 값진 일 일 수 있다. 흔히 '내 지위가 높은데...', '나는 잘못한 게 없는데...', '이 기회에 버릇을 고쳐 놓아야 하는데...', 등의 이유로 책임을 미루거나 실기(失機)하게 되면 그 비용은 커지게 마련이다. 신속히 과오를 인정하고 흔쾌히 사과할수록 불필요한 에너지 소진을 막고, 우선순위가 높은 중요 결정에 리더십 에너지를 배분할 공간이 커지게 된다. 이러한 분위기를 북돋는 것이 바로 리더십이라는 사실에 눈을 떠야 한다.

3) 서울대 병원장 선임과정에서의 '충언(忠言)'과 원만한 수습(2004년)

(1) 정부 측 이사 3인의 지지가 주요 변수

2004년 5월 말로 임기가 종료되는 박용현 서울대 병원장의 후임을 선출하는 절차가 시작되었다. 서울대 병원장은 9인으로 구성되는 이사회가 다수 득표자 순으로 복수 추천하면, 주무부처인 교육부 장관을 거쳐 대통령이 임명한다. 9인의 이사 중, 기획재정부, 교육부, 보건복지부 차관 등 3인의 정부 측 이사가 과반수 득표(5표)에 있어 결정적 변수로 작용한다. 이사회의 최다득표는 필요조건이지만, 청와대의 인사검증이라는 관문을 통과할 때 충분조건이 완성된다. 이런 과정을 거치는 만큼 후보자의 역량은 필수조건이고 정부 핵심의 재가가 최종 선임을 좌우한다고 조심스럽게 말할 수 있다.

나는 분당병원 설립 자문단에 참여하고 있어, 병원 소식을 근거리에서 접할 수 있었다. 당시 3인의 의대 임상교수가 예비후보로 나서고 있지만, 사실상 양강 구도로 경쟁하고 있었다. 병원의 보직교수 한분이 "새 정부가 후보자 한 분을 강력히 밀고 있는 반면 다른 후보는 일부 교수들이 지지하는 양상"이라고 말했다. 나는 분당병원 설립 자문모임에서 부원장을 역임한 두 분을 잘 알고 있어 원장 선임과 관련해 언급할 위치에 있지 않았다.

(2) 의대 교수의 긴급 호출 받아
– 선임과정의 문제에 대한 공개회견 만류 설득

후보 간 물밑 경쟁이 치열해지고 있는 상황에서, 평소 친분을 가지고 있는 의과대학의 여교수 한 분이 나에게 전화를 걸어 급히 저녁 장소로 오라는 것이었다. 그분의 고조된 목소리를 들으니, 무슨 긴박한 일이 있다고 판단해 저녁 자리에 나갔다. 그 자리에는 의대 교수 대여섯 분과 주요 신문사 편집부국장이 앉아있었는데, 모임의 의제가 바로 원장 선임 문제였다. 나는 선임 과정에 개입할 이유도, 그런 위치에 있지도 않아 자리를 떠나려 했으나 꼭 앉아있어야 한다고 권하기에 저녁을 함께했다.

그 자리에 교수들이 모인 이유는 자신들이 지지하는 원장 후보가 타 후보 지지자 측의 의중이 작용하여 정치적으로 곤경에 처해있기 때문에, 며칠 후 일부 교수들을 모아 공개 회견을 한다는 구상을 논의하기 위해서였다. 참석자들이 이구동성으로 공감을 표시하는 것을 보고 더욱 놀랄 수밖에 없었다. 모 신문사 부국장에게는 이런 상황을 보도해 달라고 요청하는 상황이 벌어지기도 했다.

그 순간 나는 끝까지 저녁 자리에 앉아있길 잘 했다고 생각했다. 왜냐하면 원장 선임을 둘러싼 일부 교수들의 의혹이 주요 매체에 보도되면 서울대 병원의 권위가 추락할 뿐만 아니라 원장 선임 절차에 차질을 빚을 수 있다는 점에서, 그 자리에서 이런 위험한 상황을 막아야 할 사람은 그 자리에 참석한 의대 교수가 아닌 나 혼자 뿐이었기 때문이었다.

나는 교수들에게 어떤 이유에서라도 원장 선임 문제가 정치적 의도가 있는 과정으로 일반인들에게 비추어져서는 안된다고 강조했다. 더욱이 원장 신임 과정의 어려운 점을 논의하기 위해 공개 교수 모임을 개최하려는 시도는 백지화되어야 한다고 주장했다. 참석 교수들은 처음에는 내가 병원 사정을 몰라서 그런 입장을 취하는 것이라면서, 원장 선임이 외부의 개입 없이 투명하게 이루어져야한다고 은근히 나를 비판하기도 했다.

우여곡절 끝에 그 자리에 있는 교수들을 설득하는데 성과가 있었지만 또 다른 문제가 있었다. 그 자리에 참석해 내용을 파악하고 있는 신문사 부국장을 설득하는 일이었다. 고등학교 후배인 그분에게 '이 문제에 관해 절대로 보도해선 안된다'고 간곡히 읍소하니, 다행히 고개를 끄덕였다.

(3) 맺음말, 대학의 문제는 대학이 스스로 풀어야
– 외부의 힘을 빌려 의혹을 풀려는 시도는 절제되어야

학내문제는 학내에서 푸는 것이 바람직하고, 내부 문제를 노출시켜 외부의 시선과 압력을 통해 상황을 개선하겠다는 발상은 절제해야 한다고 생각했다. 설령 어떤 의혹을 해결할 수 있다고 기대하더라도 내부의 오해와 갈등의 문제를 대학 밖에서 공론화하는 것은 또 다른 '학내문제의 정치화'를 야기함으로써 바람직하지 못한 양상이 전개되기 때문이다.

의혹의 본질이 일부 정치적 성격을 띠었다고 하더라도 그러한 문제를 언론을 통해 비화시키는 것은 또 다른 정치적 함정에 빠질 수 있는 위험을 안고 있다. 어떤 의혹을 풀어야 한다는 목표가치가 존재하더라도 의혹을 푸는 과정에서 활용되는 수단이 초래하는 '유형 · 무형의 비용'을 감안해야 하고, 기관이 안게 될 유 · 무형 비용이 회복되기 어려울 정도로 크다면, 당연히 절제하는 조직문화가 뿌리내려야 한다고 생각했다.

V

위기와 좌절의 극복

〈 '취약점으로 보이는 것'에 대한 공세에 의연한 대처 〉

인간은 정도의 차이가 있을 뿐 취약점을 안고 살아간다. 그 취약점이 사실 일 수도 있고, 남에게 취약점으로 보일 수도 있다. 경쟁이 치열할 때 취약점인 것처럼 보이는 것으로 인해 예기치 않은 위해(危害)가 발생할 가능성이 높고 위기 초래의 원인이 되곤 한다. 주목을 받게 될수록 '취약점으로 보이는 것'이 취약점으로 기정사실화되어 비판 · 비난의 표적이 될 수 있기 때문이다. 총장 후보 중의 한 사람으로 인식되면서 '취약점으로 보이는 것들'이 표적이 되기 시작했다. 처음에는 아연실색해 격앙된 마음을 다스리기 어려웠지만 당연히 겪어야 할 과정이라고 생각했다. 마음을 진정하고 차분히 의연하게 대처하는 노력을 기울여야 했다. 불가피한 통과의례라고 생각하며 여유 있는 마음가짐을 더욱 체화해야겠다는 생각을 굳히게 된 세 개의 사례를 소개하고자 한다. 하나는 총장선거 2년 전 '공금 유용 의혹' 방영이 무산된 사건이고 다른 하나는 선거직전 오마이뉴스 '논문(?) 중복게재 의혹'이었다. 마지막 하나는 동료교수의 터무니없는 인신공격이었다.

1. 지상파 방송의 '국고유용 의혹' 특별취재가 무위(無爲)에 그치다
2. '논문(?) 중복게재 의혹' 보도로 곤혹과 위기 겪어
3. 터무니없는 '가족문제(?)'네가티브 공세에도 흔들림 없어야
4. 맺음말, 비판에 대한 최선의 대응도 책무로 생각해야

1. 지상파 방송의 '국고유용 의혹' 특별취재가 무위(無爲)에 그치다 (2006년 2월)

1) 방송팀이 서울대 하노이 출장 잠행 취재
– 제보 오류 확인하고 방영 철회

필자가 출범을 주도해 소장을 맡고 있던 서울대 아시아개발센터(ADI, Asia Development Institute)는 2006년 2월, 하노이에서 한국-베트남 간 IT 협력을 강화하기 위해 베트남 정부(IT 관장부서)와 공동 워크숍을 개최했다. 우리 측에서는 교수, 정보통신부 이기주 국장(前 방송통신위원회 상임위원)등 5명이, 베트남 측에서는 정보통신 관련 부서 간부들이 참석해 발표와 토론을 진행하였고 나는 회의 종료 후 만 하루 만에 귀국했다.

서울대 아시아개발센터 '하노이 국제대회' 개최와 동일 시점에 대학원 정보통신정책과정 수강생 베트남 연수단을 인솔하고 있던 이달곤 행정대학원원장(前 행정안전부장관, 現 국회의원)이 현지 탐방 중 방송국 기자의 취재를 목격하고 즉각 먼저 귀국한 나에게 연락해 취재사실을 알려주었다. 주요 지상파 방송이 서울대 아시아개발센터 주관의 '하노이 국제회의'를 국고 유용 사례로 특집 보도할 예정이고, 더욱이 보도의 주 타킷은 아시아개발센터 소장을 맡고 있는 오연천 서울대 교수라는 사실을 접하면서 충격에서 벗어나기 어려웠다. '국고 유용'은 단순 실수나 도덕적 해이의 문제가 아니고 범법행위에 해당되기 때문이다. 만일, 이 보도가 방영되고 사실로 판명된다면 서울대학교의 권위에 타격을 줌은 물론이고 교수직 조차 유지하기 어려운 치명적 사건이 되는 셈이다. 방송사의 해외 취재가 심상치 않은 일이라고 판단해 즉각 사태 수습에 나섰다.

사건의 발단은 공교롭게도 그 회의에 베트남 측 방청객 외에 서울대학교 정보통신방송정책과정(6개월 특별과정) 수강생들이 수료직전 현지 탐방을 위해 하노이에 머무르고 있던 차에 이 국제회의에 참관한 것이었다. 지상파 방송국팀은 두 개의 다른 행사가 우연히 하노이에서 진행되는 것을 간과한 채 서울대 행정대학원의 동일행사로 믿고, 학생들 스스로 부담한 학생연수비용을 국고(아시아개발센터 예산)로 충당했을 것이라고 확신, 보도가치가 충분하다고 판단, 국고 유용으로 의심되는 현장을 잠행 취재한 것이었다.

나는 즉각 지상파 방송국 소관 본부장에게 연락을 취해, "귀 사의 취재가 이루어졌는데 사실이 아니므로 방영되지 않도록 유념해 달라"고 요청했다. 하지만 그렇게 간단하지 않았다. 왜냐하면 '장거리 출장비용을 들인 방송 팀의 이번 취재가 근거 있는 내부제보에 의한 것'임을 밝히면서 "대학의 회계장부를 들어다봐야 한다"고 강조했다. 다음날 방송국팀이 대학을 방문해 회계장부를 확인한 결과 특별과정 연수생의 해외여행 경비는 자신들이 부담한 것이 너무나 자명했고, 한국-베트남 간 IT 협력 심포지엄은 양국 간의 공식회의여서 서울대학교 예산항목에 의해 지출된 것임이 확인되었다. 결국 방송사의 탐사는 소동으로 끝이 났다. 방송사가 의심했던 공금 유용은 존재하지 않은 일이었기 때문에……

2) 내부 교수가 '잘못된 정보'를 제공한 것이 화근

– '불신'의 원천은 나 자신이라고 생각해

풀리지 않는 문제는 누가 잘못된 정보를 공신력 높은 지상파 방송에 전달했는가였다. 누군가 의도적으로 구체적 정보를 주지 않고서는 주요 방송사의 취재팀이 취재 계획과 막대한 출장비를 결재받을 수 없다.

세상일은 비밀이 없는 법이다. 얼마 지나 자료를 방송사에 제공한 분이 나를 찾아와 과오를 사과했다. 그분은 대학원 진학상담으로 알게 된 행정대학원 모 교수로부터 제공받은 '공금 유용'의혹 관련 정보가 사실인 줄 알고 그 자료를 방송사에 보냈다고 말했다.

이분이 관련 정보를 취득하게 된 것은 어느 날 교수회의에서 아시아개발센터의 한국-베트남 간 워크숍 계획과 정보통신과정 수강생 하노이 연수 계획이 배포되었는데, 아시아개발센터 소장에 불만을 품은 모 교수가 국고 지원의 동일행사로 착각, 수강생 연수 비용지출을 국고 유용이라고 판단한 결과 해당 유인물을 이분에게 넘긴 것이었다. 방송국에서는 권위 있는 내부 인사가 회의 자료까지 자발적으로 보낸 것으로 미루어 공금 유용의 근거가 있다고 판단한 듯했다.

사건의 전말을 파악한 뒤 나는 모 교수에게 찾아가 "제가 여러 가지로 부족하지만 마음에 안 들 때는 직접 불러 질책해 주세요. 대학의 일을 외부로 알리면 오해가 생기고 대학의 권위가 손상됩니다"라고 말했지만 그분은 끝내 자신은 무관하다고 언급했다.

이 일을 겪으면서 "아무리 내가 옳다고 시작한 일이라도 반대자의 입장에서는 결코 동의하지 않을 수가 있구나"라는 것을 알았다. "반대입장의 이면에는 '일' 자체보다도 '나에 대한 불신'이 자리 잡고 있다는 점을 간과해서는 안 되는구나"라고 생각하게 되었다.

곰곰이 생각해 보니 '나에 대한 불신'의 단초는 나로부터 출발한 것이고 결국 내가 원인 제공자였다. 만일 내가 4년간 행정대학원 원장을 역임하지 않고, 아시아개발센터를 설립하지 않았다면 '이런 일이 없었을 것이다'라고 생각했다. 더 나아가서 "내가 감성적 측면에서 신뢰를 받았다면 그렇지 않았을 텐데...... 결국 문제는 나 자신에게 있다"는 것을 겸허히 인정해야했다.

2. '논문(?) 중복게재 의혹' 보도로 곤혹과 위기 겪어(2010년 4월)

1) 오마이뉴스의 특종 보도

– 왜곡 보도라도 도덕성 손상 우려

2010년 4월 5일, 모 신문사 기자가 논문 이중게재와 관련해 익명의 제보를 접수했다면서 사실관계 확인을 요청했다. 당혹스러웠지만 자세히 사실관계를 설명하니, 기자는 "충분히 납득했다"면서 "기사화하지 않겠다"고 말했다. 그럼에도 불안감이 가시지 않는 상태에서, 다음날 오마이뉴스 기자가 같은 내용의 사실관계 해명요청을 해와 1시간에 걸쳐 설명했다. 기자는 "충분히 이해했다"고 말했다.

그러나 바로 다음날, 오마이뉴스는 '6건의 논문 중복게재 의혹'제목의 기사를 보도했다. 기사를 접하는 순간 정신이 멍해졌으나, 기사내용을 자세히 읽어보니 오히려 마음이 편해졌다. 왜냐하면 문제삼은 6건의 중복사례 중에서 4건이 공개 발표내용을 월간지와 홍보지에 게재한 것이거나 연구원의 수식지 내용을 직능 신문사가 게재한 것, 정부잡지 기고문을 정년기념 모음집에 수록한 것, 정책보고서 내용일부를 요약해 교내 논총에 수록한 것으로서 학술 논문이 아닐 뿐 아니라 중복게재 의지가 없는 '발표문'이었기 때문이다.

문제가 제기된 2개의 논문 중 하나(대학의 논총기고문을 학회지에 게재한 것)는 이미 공식적 절차를 거쳐 학회지 게재를 철회한 상태였고, 다른 하나는 작고하신 원로 교수님이 주저자이고 나는 3저자로 참여한 논문을 교내논문집에 수록했던 것(1994년)을 그 교수님이 다음 해 학회보에 게재한 것이었다. 문제를 제기할 수 있는 것은 이 논문 하나뿐인데, 이마저도 주저자인 박동서 교수님이 학회지에 기고한 사실을 필자가 전혀 모르고 있다가 오마이뉴스를 통해 알게 되었다. 20년 전 당시에는 대학 논문집에 수록된 것을 학회지에 수록하는 것을 대학(또는 학술진흥재단)이 장려하던 시절이었기 때문에 학회지 게재를 '중복 게재'로 간주하지 않았다.

2) 내부제보라는 사실을 알고 좌절

가까이 있는 동료 교수가 아니고는 20여년에 걸쳐 수록된 발표문을 정확히 기억하기 어렵다는 사실을 생각하니 마음이 아팠다.

더욱 놀라운 것은 중복 게재 의혹이 대부분의 주요 언론사에 송달되었다는 사실이고 그럼에도 다행스러운 것은 오마이뉴스만 단독 보도했다는 것이었다. 보도를 접한 후 오마이뉴스 기자와 통화해, "충분히 납득했다고 하셨는데, 오늘 보도가 나왔네요"라고 말했더니 기자는 "조만간 다른 후보의 논문 표절 사례도 보도할 기회가 있으면 보도하겠다"면서 기자의 중립적 입장을 강조했다.

혹시라도 다른 언론사에서 추가 보도할 것을 우려해 몇몇 언론사에 연락했더니, "내용을 검토해보니 보도 가치가 없어서 보도를 안 했다. 걱정하지 마시라"는 위로성 답변을 접하기도 했다. 추가 보도의 가능성이 희박함에도 불구하고, 오마이뉴스 보도내용과 관련하여 상세한 설명자료를 주요 언론사에 송부했다.

며칠 후, 서울대 모 교수가 대학신문(서울대 발행) 편집진에 전화를 걸어, "왜 학내문제를 집중적으로 다루어야 할 대학신문이 오마이뉴스 보도를 다루지 않느냐"고 채근한 일이 있었음을 알고, 대학 내부의 교수 중에는 목적을 위해 수단 방법을 안 가리는 '대단한(?) 분'이 계시다는 것을 알게 되었다.

3) 서울대 '연구진실성위원회'의 심의로 의구심 해소

오마이뉴스의 보도가 있은 후, 논문 관련 외부지적을 공식적으로 해명하기가 쉽지 않았다. 자칫 자기방어로 의심받을 수 있는 여지가 존재하기 때문이다. 다행히 서울대학교 '연구진실성위원회'가 소집되어, 논문자기표절 여부를 정밀히 심사했다.

심사결과 연구진실성위원회는 '익명제보가 문제 삼고 있는 대부분의 연구실적은 전문학술지가 아니라 월간지(5편), 연구보고서를 게재한 국방대학교 정기간행물(1편), 연구원 정기간행물(1편), 심사절차가 없는 교내논문집(4편) 등에 게재된 글'이라고 지적하면서7,

- 대구상의, 제주상의월보, 지방자치(2편), 지방세 등은 명백한 월간지이며,
- 문화예술논집은 당시 문화정책연구원이 발간한 정기간행물로서 전문학술지가 아닌 연구원 소식지의 성격이 강함
- 한양대학교의 교내논문집인 자치행정연구 2권은 기본적으로 원로교수의 정년기념특집호임
- 서울대 행정대학원의 행정논총 역시 1999년 이전에는 전면적인 논문심사제도가 미비된 교내논문집임

---

7 언론사에서 전달된 제보에 적시된 총6건 13편 중 오마이뉴스는 5건 11편에 대하여 문제 제기함(연구진실성위원회자료 참조)

이라고 진단하고 다음과 같이 결론에 도달했다.

첫째, 어떠한 경우에도 연구비 이중수혜가 없었음

둘째, 어떠한 경우에도 연구실적 부풀리기를 위한 중복게재는 없었음

셋째, 전문학회의 정규학술지에 게재된 중복게재에 대하여는 사후적이나마 문제를 바로잡고자 논문게재 철회를 요청하여 게재취소의 결정을 득하였음

넷째, 한국행정학보에 대해서도 게재철회를 하고자 하였으나, 제1저자의 작고 등 제반 이유로 말미암아 게재철회절차를 개시할 수 없었으며, 한국행정학보 편집이사회 결정(2008. 7. 30)에 따르면 본 건과 같은 사례는 원칙적으로 중복게재로 간주하지 않는다고 함

다섯째, 2007년 고려대 총장과 2010년 아주대 총장 사퇴 이유와 본 건은 본질적으로 다른 문제임

- 고려대의 경우 1998년과 2005년도에 제자의 논문을 표절하여 발생한 문제였으며,
- 아주대의 경우 연구비 이중수혜(학술진흥재단과 과기부)가 가장 큰 원인이었음.

4) 맺음말, '시련은 보약이 될 수 있다'는 긍정의 자세 다짐

연구진실성위원회의 결정문을 받아보고, 안도의 한숨을 내쉬었지만 마음의 상처는 쉽게 가라앉지 않았다. "왜 내가 이런 시련을 겪어야 되나?", "과오가 있었는데 혹시 모르고 지나친 것은 아닐까?", "꼭 이런 방법으로 경쟁자의 도덕성을 손상해야 되나?" 상당시간 자

기회의(自己懷疑)에서 벗어나지 못했지만 다시 흔들리는 마음을 잡아 세웠다.

무엇보다도 스스로 '주목받는 위치로 나아가겠다'는 의지를 보인 것이 이런 사태의 근원적 출발점이라는 점을 곰곰이 생각하니, 이런 일로 마음의 상처를 오래 간직하는 것 자체가 부덕(不德)의 소치라고 진단했다.

마음의 평정을 찾고, 이런 시련은 '나에게 보약이 될 수 있다'는 긍정의 자세를 견지해야 한다고 다짐했다. 논문 게재 문제는 이미 예견했던 일이고, 충분히 대처할 수 있는 일이지만, 앞으로 예견하지 못할 더 큰 시련이 닥친다고 하면 어떤 태도를 취해야할까를 생각하니, 이번 논문 중복 게재 의혹문제는 오히려 타산지석이 될 수 있다고 자신을 위로했다.

3. 터무니없는 '가족문제(?)' 네가티브 공세에도 흔들림 없어야 (2010년 4월)

– 당사자 직접 찾아가 자중 요청

2010년 3월경, 농업생명과학대학 교수가 나를 찾아와, 동료 교수 한 분이 "오 교수가 가족문제가 있어 대학을 대표하기 어려운 사람이다"라는 이야기를 교수들의 공개 모임에서 유포하고 다닌다는 사실을 염두에 두라고 조언했다. 그러면서 자신이 그 자리에 있었다고 첨언했다. 유포 내용이 그야말로 터무니없는 내용이어서 기록을 남기기도 부끄러운 것이었다. 예를 들면 '아들이 어떻고......', '제가(齊家)가 문제가 있고 ......' 등이어서 만일 가족이 듣는다면 충격에 빠질 것이 분명했다. 그 순간 "선출직 공직에 나서는 사람들이 가족들에게 많은 상처를 줄 수 있겠구나" 라는 생각을 지울 수가 없었다.

알고 보니 소문을 유포하고 다니는 그분은 어떤 후보를 적극 지원하였고 그분의 행동반경이 넓어 네가티브 파급효과를 무시할 수 없었다. 대학의 중책을 맡은 바 있는 그분이 어느 특정 후보를 지지하는 강도가 높다고 하더라도 터무니없는 사실을 언급하고 다녀 남의 가족에게까지 상처를 안겨주는 행태에 분노를 삭이기 어려웠다.

고민 끝에 그분을 직접 만나, 유포하고 있는 내용이 사실이 아님을 언급하는 것이 필요하다고 판단했다. 그분은 나의 방문에 아주 당혹해하면서, "그런 소문이 있어서 가볍게 언급했을 뿐"이라고 해명했다. 나는 "선호하는 후보의 당선을 위해 노력하시는 것은 좋지만, 저에 대한 언급은 이제 절제해 주십시오. 경쟁에 나선 제가 공격받는 것은 용인할 수 있지만 나의 가족을 터무니없는 소문에 상처받게 하는 것은 가혹합니다"라고 당부했다.

경쟁에는 늘 네가티브 공세가 뒤따르기 마련이다. 으레 네가티브가 있으려니 생각하면서, 당당하게 대응해야 한다. 이 일을 겪으면서 경쟁이 치열한 선출직에 도전하려면, 상상하기 어려운 험담에도 흔들리지 않고, 꿋꿋이 나아가는 '내공(內功)'이 필요하다는 점을 새삼 깨달았다.

4. 맺음말, 비판에 대한 최선의 대응도 책무로 생각해야

1) '비판의 출발점이 자신에게 있다'는 냉철한 인식과 의연한 대응

네가티브 공격을 겪을 때, 처음에는 좌절하여 "평범한 교수로 남아야겠구나" 라는 회의도 들곤 했지만, 이런 일이 일어나는 원인이 다름 아닌 '나 자신'으로부터 비롯된 것이라고 생각하니 타인을 원망하는 것보다 원숙히 대처해야 한다고 생각했다. 만일 '내가 선거에 나가지 않았다면, 내가 유력 후보가 아니라면, 그러한 비판과 비난이 대두하지 않았을 것이다'라는 가정을 염두에 둘수록 나에 대한 비판 · 비난이 '나로부터 비롯되었고', 적절히 대응하는 것이 나의 책무라는 냉철한 마음가짐이 필요했다.

설령 사실과 거리가 있는 비판, 비난이라고 하더라도 오해의 소지나 편견의 흐름은 나로부터 출발할 수 있다는 자신에 대한 성찰의 여유를 가져야 된다고 믿었다. 이러한 성찰은 자신의 분노를 억제할 수 있고, 상황에 대처할 수 있는 역량을 키워줄 수 있다. 중요한 일을 하겠다고 나서는 사람이 타인으로부터의 사소한 비방에 흔들림으로써 중요한 일을 그르치지 않도록 마음을 견고히 가져야 된다고 다짐했다. 다시 말해서 마음을 넓게 가져야 중요한 일을 할 수 있는 조건을 갖추는 것이라는 폭넓은 긍정의 자세를 유지해야 했다.

비판 · 비난이 대두할 때 당황하거나, 문제를 제기한 사람을 찾으려고 전전긍긍하지 않고 의연해야 된다. 전전긍긍할수록 해법은 멀어지고 마음의 평정을 잃을 수 있기 때문이다. 자칫 마음이 동요되면 애꿎은 사람을 탓하는 등 실수할 여지가 커짐으로써 스스로 그릇을 작게 만들 수 있다. 진정성을 갖고 객관적 통로를 통해 사실을 밝히고 오류가 있었다면 이를 설명함으로써 이해의 폭을 넓히도록 노력해야 한다.

2) 비판은 경쟁의 암묵적 수단이라고 생각해야

주목받는 사람에 대한 비판 · 비난은 어떤 면에서 보면 명예 · 권력 · 부를 둘러싼 대결의 암묵적 수단이라는 평범한 사실을 이해해야 한다. 그렇다면 자신도 그러한 가치추구에 참여하는 과정에서 발생하는 불가피한 대결의 한 축을 이루고 있다고 이해해야 한다. 나 자신도 어떤 순간에 음으로 양으로 경쟁자를 비판할 수 있다는 점을 상정한다면, 경쟁자로부터의 비난 · 비판을 이해할 수 있는 마음의 공간이 넓어지게 된다.

남의 허점이나 잘못된 것처럼 보이는 자료를 언론사에 제공하는 분들에 대해 개인적 관점에서 측은지심을 떨치기 어렵다. 당당하게 면전에서 의혹에 대한 해명을 요구하고, 문제가 있다면 신랄히 비판하여 시정을 요구하는 것이 상식에 부합한 것이다.

자신을 노출시키지 않고 의혹을 사실인 것처럼 언론사에 보냄으로써 상대방의 도덕성을 훼손하려는 시도를 행하는 이면에는 부덕(不德)이 자리 잡고 있지 않을까? 그런 행동을 통해 상대방을 격하시켜 자신의 존재가치를 유지 · 확대시키려는 내면적 혼돈에 '연민의 정' 마저 지울 수가 없다. 우회적 방법으로 상대방을 손상시킬 수 있다는 마인드가 고정되어 있다면 경쟁에서 당당한 승자가 되기 어렵다고 믿기 때문이다.

VI

예견된 좌절(2006년)과 예상 밖의 과반(過半)(2010년)

1. 실패에도 선전(善戰)의 여운
2. 실패직후 재수 도전 결심
3. 예상치 못한 1차 과반득표
4. 에필로그

서울대학교 관악캠퍼스에서 바라본 관악산 정상

1. 실패에도 선전(善戰)의 여운

– 역량과 신임에 도달하지 못한 미완(未完)의 확인

1) 미숙한 준비에도 본선(本選)진출의 길 열려

2006년 5월 치러질 총장 선거를 반년 앞두고 후보로 나설 것을 결심하고 본격적인 선거운동에 전념했다.

선거전에 돌입하면서 가장 큰 애로는 '소수 대학원 출신'이라는 명시적(?) 한계가 초래한 '낮은 가능성'을 예단하는 분위기였다. 평소에 공감대를 나누었던 교수들조차 "오 후보가 대학을 위해 많은 노력을 기울였고, 역량은 준비된 듯한데....., 20명 남짓 전문대학원 소속이라 기본 표가 워낙 적어 걱정이다"라고 우려하는 목소리를 자주 접했다.[8]

성의있게 선거를 돕는 몇몇 교수들도 평소 상호신뢰를 쌓았던 선배 교수가 후보로 나선 만큼 의리를 지키려는 충정에서 '한번 최선을 다해보자'는 마음으로 성의 있는 선거운동에 임했다. 나 자신도 때로는 내면적 위축감에 젖어들기도 했으나, 마음을 추스르고 공약 준비와 소통에 매진했다.

최고의 지성인들인 교수들이 각자 스스로의 판단에 의거 대표를 선출하는 만큼 이에 부응하는 것이 품위를 유지하는 선거운동 방식이라고 믿었다. 그러기에 의도적인 '적극적 지지활동'은 오히려 반감을 살 수 있다는 점을 지나치게 의식했다. 아마도 선거에 임하면서 이런 미온적인 생각을 갖은 것은 실패를 자초할 수 있는 요소였다.

상당 기간 치밀하고 체계적인 운동을 전개하지 못했다. 선거운동 캠프를 제대로 추리지 못한 채 가까운 교수들이 선거공약을 준비하

8 서울대 교수는 2006년 당시 1,733명, 직원수는 991명이었다.

고 평소 친분을 유지하는 교수들에게 지지를 호소하는 아마추어 수준에 머물고 있었다.

종반전에 들어서 내심 당선의 불확실성이 높다고 마음의 준비를 하면서도 끝까지 최선의 노력을 기울였다. 선거운동을 돕는 동료들의 사기를 꺾는 것은 후보로 나선 사람의 도리가 아니라고 믿었다.

5인의 출마자를 대상으로 한 투표 결과, 1위 26.4%, 2위 26.1%에 이어 23.1%로 3위에 머물렀고, (4위 20.4%, 5위 4.0%) 과반 득표자가 없는 결과 다음날 3인을 대상으로 한 결선투표에서 1위 35.7%, 2위 33.4%에 이어 30.7%로서 1차 때와 동일한 순위에 그쳤다.

2) 소규모 대학의 한계 극복의 여지 남겨

개표 결과를 접한 동료들은 '최종 3인 후보로 올라온 것만으로도 대단하다. 득표율로 볼 때 의외의 선전(善戰) 이었다'고 자평하며 나를 위로했다. 그러한 평가가 단순히 나를 위로하기 위한 것만은 아니었다.

주목할 만한 것은 각 후보가 얻은 총 득표수에서 자신의 소속 대학교수 몫을 빼고 순전히 타(他) 대학에서 얻은 표수를 추정하면 타(他) 대학으로부터의 상대적 지지가 높았다는 것이었다. 가장 작은 규모의 대학 출신 후보가 타(他) 대학으로부터 많은 지지표를 얻었다는 사실은 작은 규모 대학의 한계를 극복할 수 있다는 가능성을 열어준 것이라고 해석할 수 있었다. 선거를 도와준 교수 한 분이 "교수님은 이번 선거의 패자가 아닙니다. 이번 결과는 교수님의 존재를 확실히 각인시켜준 것이라는 사실을 잊어서는 안 됩니다"라고 의미심장한 격려를 아끼지 않았다.

나는 선거 결과를 두고, 패배했다는 생각을 하지 않았다. 동일한 여건과 역량을 갖고 경쟁했다면 패배임이 분명하지만 경륜, 경력, 연배 면에서 체급이 높은 후보와 경쟁한 것이었기 때문이다. 사실 1, 2위한 후보가 각각 고등학교 3년, 7년 선배였고, 여러 면에서 앞서 기반을 닦아온 분들이었다. 따라서 결과로서 패배임이 분명하지만 사실 '역량과 신임에 도달하지 못한 미완(未完)의 확인'이라는 표현이 적절하다고 생각했다.

주저하지 않고 도전해서 얻은 실패의 값진 교훈이야말로 미래의 가능성에 다가서게 하는 필수적 동력이라고 확신했다. 아직도 채워지지 않은 부족함을 거듭 채워 완결(完結)로 나아가야 한다는 다짐은 식지 않았다.

2. 실패직후 재수 도전 결심

– '준비된 공직자'를 향한 철저한 성찰

1) 실패는 '준비된 공직의 길을 걸으라'는 선물

선거마무리 직후, 선거기간 중 도와주었던 동료교수들에게 감사의 뜻을 전하느라 분망했다. 가능성이 높지 않았음에도 끝까지 함께 해준 교수들의 지극정성에 보답하기 위해서도 '후보자에 대한 헌신이 헛된 것이 아니었음'을 증명해야 할 책무를 잊지 않았다.

4년 후 재도전하겠다고 결심하면서 문득 "지난번 선거에서 신임을 받지 못한 것이 오히려 다행이었다"라는 생각이 머리를 스치곤 했다. 총장 재수에 임하면서 좌절감을 느끼기는커녕 '만일 내가 당선되어 제대로 준비도 안된 채 총장직을 수행한다'는 가상의 현실을 생각하면 식은땀이 나기도 했다.

공직의 책임자로서 '당연히 알아야 할 것', '어떻게 대응해야 할지 방향을 모색하는 것', '진정한 대학 발전의 요체를 탐색하는 것' 등 기본역량을 축적하고 즉각 실행할 수 있는 준비 태세를 갖추는 것이 참으로 절실한 책임자의 요건이라는 사실을 새삼 깨닫게 되었다. 총장 선임의 실패는 '더욱 철저히 준비해 제대로 된 공직의 길을 걸으라'는 은혜로운 선물이라는 생각을 뇌리에서 지우지 않았다.

이런 생각을 할 때마다 '준비된 공직자'로서 기대에 부응하는 직책을 수행할 수 있는 '역량'과 '준비'를 갖추는 과정은 사실상 끝이 없다는 사실에 눈을 뜨기 시작했다.

2) 실패의 근원(根源)을 진단하고 시스템에 의한 접근 전념

지나간 선거에 대한 냉정한 반성의 시간을 가졌다. 그 순간 경기중학입시에 실패한 후 다니던 중학교를 재수를 위해 자퇴하고 남산도서관에 출근하며 다짐했던 43년 전의 기억이 뇌리를 스쳤다. "이제 다시 실패의 시련을 겪지 않기 위해서 최선의 노력을 다하자"라는 다짐이었다.

다음번 선거가 4년 후에 치루어지지만 그 기간이 결코 긴 시간이 아니고 곧 닥쳐올 것이기에 결코 지루해할 이유가 없다고 생각했다. 지난 선거 때 소홀히 했던 점, 부족했던 점들을 차근차근 개선하려면 4년이라는 기간이 그렇게 넉넉한 것이 아니라고 단정했다.

우선 보다 나은 결과를 이끌어 내지 못한 가장 큰 이유는 체계를 갖춘 시스템으로 선거를 치루지 못하고 개인의 친소관계에 의존하여 지지를 확보하려는 안일한 태도에 있었다. 체계적인 시스템을 가동하여 공약을 개발하고 다양한 지지를 확보하는 노력을 게을리 했던 점을 통렬히 반성했다. 기존의 친소관계의 연장선상에서 지지확대를 시도한다면 분명 한계가 있다는 사실을 실감했다. 이제 기존의 지지를 뛰어넘어 새로운 확장성을 실현하려면, 친소관계가 존재하지 않았던 교수들과 목표를 공유하고 공감대를 형성하는 일이 긴요하다고 생각했다.

선거기간 중 시간적 제약과 전략부재로 인해, 지명도와 보직경험이 있는 교수들에게 주력했던 소통도 그 효과가 당사자에게 국한되고 소속 대학 · 학과 교수들로 파급되기 어렵다는 점을 확인할 수 있었다. 개성이 강한 교수들의 특성상 같은 학과 소속이라고 하더라도 총장선출과 같은 민감한 이슈에 마음을 터놓고 입장을 공유한다는 것이 매우 어렵다는 사실을 뒤늦게 깨닫게 되었다. 총장 선거에 재도전하면서 지나간 선거에서 미흡했던 부분을 보완하는 노력을 다음과 같이 기울였다.

첫째, 각 대학을 대표하는 선거캠프를 꾸려 공약 · 소통 · 홍보 등 제반 사안을 주도할 수 있는 체제를 구축했다. '20여 명으로 구성된 팀'이 차기 총장을 배출해 대학의 운영과 발전을 도모한다는 일념 하에 체계적인 지지호소 노력을 전개했다.

둘째, 후보자의 대학에 대한 기여를 알리는 과거 지향적 소통을 지양하고, 후보팀이 지향할 대학의 비전과 실천과제를 구체적으로 현실성 있게 제시하는데 심혈을 기울였다.

셋째, 대학 전체의 비전과 추진 목표 제시에 국한하지 않고, 개별 단과대학의 위상 정립과 미래과제를 구체적으로 성안(成案)해 의제화하는 노력을 기울였다.

넷째, 후보개인이 아닌 팀(team)의 비전과 역량을 설명하고 대학

행정을 책임질 인재의 풀(pool)을 알리는데 주력했다.

다섯째, 교수들의 독자적 성향을 감안하여, 가급적 1대 1 대화를 통해 수평적 쌍방향 소통에 매진했다. 이 과정에서 개별 교수가 품고 있는 교육 · 연구에 대한 제약점을 진단하고 향후 나아가야 할 방향을 경청하는데 주력했고 기록을 유지했다.

2년여의 시간이 지나가면서 어느덧 대학의 현안들이 머릿속에 쏙쏙 들어오면서 어떻게 접근할 것인지 곰곰이 생각하는 여유를 갖게 되었다.

선거 시즌(season)이 다가오면서, 교수들의 회동 요청이 잦아졌다. 학과나 대학의 현안 문제를 논의하는 자리에서 사전에 문제를 인지하고 개선방향을 객관적으로 모색하되, 제약조건의 실상을 확인하는 노력도 게을리하지 않았다. 교수들과의 만남에서 "지지해달라"는 직접화법은 절제했다. 교수들이 후보에 대한 특성과 비교우위를 파악할 수 있도록 대학운영과 발전방향에 관한 우리 팀의 입장을 전달하고 주요현안에 대한 실천의지를 강조하는데 주력했다.

3) '재정연구회' 결성해 대학 재정확충 모색

2007년, 이장무 총장이 부임한 뒤 1년 지나 대학본부가 수행하는 제2 캠퍼스 사업을 맡아 달라고 요청했다. 얼마 전까지 경쟁했던 상황임을 감안해 정중히 고사했지만 대학발전을 위한 일이라면 평교수로서 대학의 발전을 위해 열심히 돕겠다고 다짐했고, 총장은 어떤 형태의 일이든 지원할 것을 약속했다.

대학본부를 돕는 방법은 여러 형태가 존재하지만 그 중에서도 새로운 교육 · 연구 수요에 대응하기 위한 '대학재정 확충'이야말로 총장을 중심으로 핵심 구성원들이 합심해서 심혈을 기울여야 할 과제라고 생각했다. 그럼에도 대학의 간부들이 주어진 현안에 집중하느라 여기에 핵심역량을 쏟기가 어려운 것이 현실이라는 점을 감안해 '서울대학교 재정연구회'라는 일종의 '특별임시기구(task force team)'를 결성하기로 했다. 이 기구의 목적은 대학 내의 경험 · 역량을 갖춘 교수들을 모아 재정확충 방안을 모색하고, 외부 전문가들을 초청하여 설득력 있는 전략을 수립하며, 서울대학교를 둘러싸고 있는 환경(정부, 기업 등)과 미래가치 선도에 대한 공감대 형성의 구심점을 구축하는데 두었다.

2년 반 기간 동안 예산 및 재정전문가의 진솔한 조언을 청취하고 대학의 국고예산증대 노력에 동참할 뿐 아니라 별도의 추가적 사업을 뒷받침할 신규 재원확보에 괄목할 만한 기여를 했다. 특히 박종구 당시 교육과학기술부 차관(現 초당대 총장)은 여러 차례 참석해 의과대학, 약학대학, 농생대의 신규 사업에 대한 배려를 아끼지 않았다. 대학본부의 지원으로 출발한 이 연구회가 대학재정에 관한 비공식 종합 싱크탱크의 역할을 수행하고 있음에 참여자들이 자부심을 느꼈다. 이 연구회에 참여했던 상당수 교수들이 다가오는 총장 선거에서 자연스럽게 음으로 양으로 격려와 노력을 아끼지 않았다.

4) 정부공직 제안에 정중한 고사

총장선거를 1년 앞둔 2009년 2월, 김완배 교수 등 농경제학과 교수와 함께 러시아 연해주 지역의 한국인 소유 농장을 견학하고 앞으로 우리나라 농업이 이 지역에 진출할 수 있는 기회를 확대할 방안을 탐색 중이었다. 우수리스크의 고려인 문화센터 방문 중 대통령

실장, 인사 비서관으로부터 국무위원 자리에 내정될 예정이니 준비를 위해 급거 귀국하라는 전화를 받았다.

그 순간 20대 중반 초임사무관 시절, 감히 쳐다보지도 못할 고위공직에 유력후보로 거론된다는 사실에 마음이 뭉클해졌다. 그 자리에 적임인지를 불문하고 나를 기용하겠다는 임용권자의 의지를 접하면서 내면의 자부심을 억누르기 어려웠다. 옆에 앉아 장시간 통화내용을 듣고 있던 김완배 교수가 "이런 기회에 정부에서 일해 보시는 것도 좋을 듯 하네요"라고 내심 격려를 아끼지 않았다.

마음을 평정하고 냉철히 생각해 보니, 공직제안에 대한 응답은 명백했다. 나에 대한 과분한 평가는 고맙지만 '대학 속의 나의 길'을 일관되게 추구하는 것이 옳다고 판단했다. 공직 초빙 기회가 확실하고 반가운 일임에는 분명하지만, 불확실한 길이더라도 이미 총장후보로 나설 뜻을 굳히고 있어 공직 진출에 관심을 가질 공간이 존재하지 않았다. 준비되지 않은 사람을 공직후보로 내정(?)해 준 것에 감사의 뜻을 표하면서 "공직을 맡을 준비가 되지 않았으니 널리 이해해달라"고 답했다.

공직후보자로 거론됨으로써 촉발된 내면의 잠재적 자부심은 1년 후 치러질 총장 선거에 더욱 매진하는 촉매제가 되었다.

3. 예상치 못한 1차 과반득표

– 공복으로서의 '무한책임'의 길 들어서

4년의 기간이 눈 깜짝할 사이에 흘러갔다. 2010년 5월 1일 선거 당일 오전 일찍 투표한 후 마음을 비운 채 관악산 중턱에 올라가서 지나간 4년을 되돌아보며, 나 자신을 격려했다. "그동안 최선을 다했다.

결과에 연연할 이유가 없다. 당선되면 4년의 가혹한 중책을 짊어져야 한다. 실패하면 자유인으로 돌아간다. 당선은 책임을 동반하고, 실패하면 자유를 얻으니 두 개가 모두 영예(?)의 길이다"라고 독백했다.

마음을 문자 그대로 완전히 비우니 선거 결과가 기다려지지도 않았다. 관악산 중턱까지 올라갔다가 구두를 신은 채 다시 정상에까지 다다랐다. 순간 멀리 서울시내를 내려다보면서 50년 전 기차를 타고 상경했던 기억이 뇌리를 스쳤다. 미지의 세계를 향하던 동경의 꿈이 이곳 관악산 정상에 머무르고 있다는 상념에 잠기면서 한결같이 50년의 여정을 인도해주신 주님의 은총에 감사했다.

오후 1시경 연구실에 도착하니, 조교 · 동료 교수들이 나를 찾느라 소동을 피우고 있었다. 30분 전 선거 결과가 나와 출입기자들이 나를 찾고 있는데 연락이 안 돼서 수소문하고 있었다.

개표 완료 결과, 1차 투표에서 과반수(1위 52.3%, 2위 37.6%, 3위 9.7%)를 득표해 다음날 결선투표 없이 당선 확정되었다는 것이었다. 행정대학원 4층 복도는 어느 사이에 축하하러 온 동료들로 문전성시를 이루었다.

선거캠프 동지들은 당일 선거에서 과반 득표자가 없을 것으로 예상해, 오후부터 결선투표를 준비하는 회의를 소집했지만, 그 회의는 자축의 자리로 갑자기 변하게 되었다. 나 자신도 과반 득표를 예견하지 못했고, 잘하면 2위권 안에 들어가 다음날 결선투표에서 최종 결과가 판명될 것으로 마음의 준비를 하고 있었는데, 예상 밖의 과반 득표의 행운을 얻게 되었다.

부족한 사람을 신임해 준 교수 · 직원들께 감사의 메시지를 보냈다. 이제 대학의 공복으로 나를 신임해 준 구성원들의 기대에 부응하기 위해 투혼을 불사르는 '무한책임의 일방통행' 길에 들어서게 되었다.

4. 에필로그

국립대학교수로 봉직할 수 있는 기회가 부여된 것만도 경이로운 축복이라고 늘 생각했다. 그런데 거기에 그치지 않고 국립대학을 대표하는 직책에까지 이른 것을 스스로 어떻게 설명할 수 있을까?

어린 시절부터 넉넉하지 못한 집안 환경에 작은 체구의 수줍은 소년은 특별히 가진 것이 없고 자랑할 만한 것을 갖추지 못했다고 생각했다. 부지런함과 명랑함을 제외하고 가진 것이 눈에 띄지 않는 소년은 부족한 것을 채워서 보다 나은 삶을 향해 달려가야 한다고 믿었다.

무엇인지 모를 동경의 꿈은 당돌한 상경의 길로 접어들게 했고, 중학 재수, 고교 · 대학시절 가치관의 혼돈, 좌절과 재기를 겪으면서 공직의 문으로 들어섰다. '공무원 유학'이라는 우연의 기회를 놓치지 않고 불확실성을 헤쳐 '학문정진'이라는 미지의 세계로 들어섰다. 상상하기 어려운 유학경비 반환을 치르면서 몇 차례의 난관을 뚫고 꿈에 그리던 모교에서 학문의 길을 밟았다.

조금도 다른 미련을 가지기 어려운 자기만족에 다다르고 있었음에도, 아주 작은 규모의 전문대학원 출신이라는 한계를 감안하면 도전할 엄두도 내지 못할 상황임에도, 어떻게 거리낌 없이 대학의 대표 공직에까지 도전할 수 있었을까? 흔한 '명예에 대한 갈구'로는 설명하기 어려웠다.

'자신을 알고, 자신을 이기는 무언의 힘', '남을 알고, 이해하는 공감의 힘', '우리가 더 나은 미래로 나아갈 수 있다는 긍정의 힘'이 동경의 날개를 펼치게 한 뿌리였다고 말할 수 있을 뿐이다.

불확실성 속에서 혼돈을 겪으면서, 지속되어온 우연의 선택들이 완결의 길로 들어서는 것을 필연으로 받아들여야 할까? 아니면 우연의 단순한 연속일까? 과거의 그 시점에서는 우연이지만, 현재의 시각에서는 필연이라고 볼 수 있을까?

인내심을 갖고 히말라야 고봉의 상승기류를 타는데 성공해 극한의 난관을 극복하는데 그치지 않고 천적 검독수리의 공격 위험을 벗어난 후 인도 북부에 도착한 줄기러기떼들. 이들은 이곳에서 겨울을 나고 몇 개월 후 중앙아시아로 다시 만리(萬里) 여정을 떠나야 한다.

VII

새로운 번민과 시련에 대한 다짐

1. 신임의 환희 속에 잠겨진 새로운 번민
2. 임기 4년을 '시련의 시간'으로 간주
3. 선출직 공복의 '임기'에 대한 집착 벗어나

1. 신임의 환희 속에 잠겨진 새로운 번민

당선 축하를 받고 감사의 뜻을 전하는 노력도 결코 수월하지 않았다. 축하메시지가 많이 오다 보니 당선일 오후부터 휴대전화가 불통이 되었다.

수일간 계속된 축하분위기 속에서도 미래에 대한 불안감이 지워지지 않았다. 강도 높은 불확실성 속에서 당선이라는 결과를 이룩한 것에 대한 자기만족은 며칠에 불과했고, 이제 선출 공직자로서 부여된 책무를 제대로 이행할 수 있을지에 대한 번민이 서서히 싹트기 시작했기 때문이다. 어떤 현자(賢者)의 말대로 "당선의 즐거움은 한나절뿐이고, 그 뒤로 추락의 가능성이 넓게 열려져있다. 최선의 노력을 경주해도 추락의 속도를 늦출 뿐이다. 당선의 순간, 최고치를 기록하고 그 뒤 그것을 유지하는 것조차 희망사항일 뿐 서서히 내려올 수밖에 없는 것이 세상의 이치라는 점을 깨달아야 된다"는 말이 마음속 깊게 다가섰다.

곰곰이 생각하면, 소수(小數)대학 출신이 예상을 뒤엎고 1차 투표에서 과반 신임을 받았다는 평범하지 않은 사실 자체가 더욱 무거운 책임을 안겨주는 것이라고 생각했다. 으레 될 사람이 되었으면 그에 대한 기대도 평균적 수준일 수 있지만 '선전(善戰)의 의외성(意外性)'은 평균을 넘어서는 높은 기대를 유발하게 될 수 있다는 점을 짐작할 수 있다. 그렇다면 재임 중 성과가 기대에 미치지 못하게 될 확률이 높아지게 되는 만큼 감수해야 할 부담은 더욱 클 수밖에 없었다.

총장 선출 후 안게 된 책임감은 교수시절의 그것과는 차원이 다를 수밖에 없다. 교수직이나 총장직이나 항상 결과를 창출해야 하는 소명감을 가져야 한다는 점에서는 동일하지만 본질 면에서는 차이가 크다고 볼 수 있다. 교수로서의 책무는 일정 제약조건 속에서 나 스스로 노력함으로써 결과를 이루어낼 수 있지만 총장으로서의 책무는 나자신의 노력은 물론이고 교수 · 직원 등 구성원의 다양한 목표와 기대에 부응해야 할 뿐 아니라 대학을 둘러싼 환경과의 유기적 상호작용 속에서 전개되는 다차원의 복합적 성격을 띠고 있기 때문이다. 교육기관 책임자로서의 직무는 기관을 움직이는 다양한 결정 시스템의 일부에 국한하지만 책임의 많은 부분은 총장에게 귀속된다는 사실을 음미하면서 무거운 책임감을 거듭 되새겼다.

2. 임기 4년을 '시련의 시간'으로 간주

– 당선보다 더욱 어려운 것이 당선 후 기대에 부응하는 일

나는 총장 임기 4년이 내가 스스로 선택한 '시련의 시간'이라고 생각했다. 교수 · 직원들이 대학의 공통이익을 실현하는데 앞장서겠다는 나의 다짐을 신임했다는 사실은 이제 그러한 다짐을 실천하고 결과를 이루어내야 하는 무한책임을 안겨준 것이라고 믿었다. 명예를 좇는데 그치고 마는 '외화내빈'에서 벗어나 진정으로 대학의 변화와 발전에 기여하는 공복의 역할을 수행해야 하는 명제 앞에서 숙연해질 수밖에 없었고, 긴장감에서 벗어나기 어려웠다.

비교적 자신에게 냉철한 성향을 지니고 있는 사람으로서, 내가 할 수 있는 일과 할 수 없는 일, 그리고 주요 의제를 실현하는데 많은 난관이 도처에 깔려있음을 잘 알고 있기에 주어진 과업을 헤쳐 나가는데 감당해야 할 중량감을 떨쳐내기가 어려웠다. "치열한 경쟁을 뚫고 선출직에 당선되는 것이 무척 어려운 일이지만, 이보다 더욱 어려운 것은 당선 후 지지자들의 기대에 부응해야 하는 것이다"라는 스스로에 대한 '엄중한 경고의 메시지'가 뇌리에서 사라지지 않았다. 만일 임기가 얼마 지나지 않은 시점에 '총장을 잘못 뽑았구나. 어떻게 4년을 기다려야 하나'라고 탄식하는 교수들의 목소리를 듣게 되지 않는다는 보장이 없다는 사실을 냉철히 받아들여야 한다고 생각했다.

3. 선출직 공복의 '임기'에 대한 집착 벗어나

교수 · 직원의 선출을 통해 임기 4년이 보장되었지만, 내심 '반드시 임기가 보장되었다'고 생각해서는 안 된다고 믿었다. 공적 절차를 통해 선출되었다고 하더라도 구성원들의 마음이 떠난다면 '임기 보장'의 의미가 반감되거나 무의미해질 수밖에 없다고 생각했기 때문이다. 자신들이 선출한 공복이 기대를 충족하지 못하거나 낮은 수준의 신뢰를 벗어나지 못하면서 '허울뿐인 자리'를 지키고 있다면 '이중구조'의 위선과 자기모순의 함정에서 벗어날 수 없다고 생각했다.

임명장을 받았다고 하더라도, 취임 후 대학의 대표자로서 기본적인 역할이 구성원들의 기대에 현저히 미치지 못할 경우, 그 직을 내려놓는 것이 '자연스러운 선택'이라고 다짐했다. 최선을 다하지만, 역량과 여건의 미비로 최소한도의 존재의미를 살리지 못한다면 자연스럽게 직을 내려놓는 것이 선출직의 본질에 맞는 것이라는 내면의 결심을 깊이 각인했다.

문득 대학시절 '정치사상' 시간에 접했던 '사전적 정당성'과 '사후적 정당성'의 개념이 뇌리를 스쳤다.

"절차에 따라 대표로 선출되는 것은 선출직의 필요조건인 '사전적 정당성'에 기반한 것이다. '사전적 정당성'을 안고 출발해 권한을 행사하면서 국민들의 공감과 지지의 최소 요건을 충족해야 하는 '사후적 정당성'을 확립하지 못하면, 그 권력은 겉으로는 존재하지만 내용상으로는 신임을 받지 못하는 이중구조가 심화되는 것이라고 볼 수 있다. 이에 그치지 않고 권력에 대한 저항과 더불어 붕괴의 씨앗이 심어지게 된다는 사실을 간과해서는 안 된다"고 익힌 바 있었다. 학문의 전당인 대학 조직이라고 해서 이러한 교훈의 예외가 아니라는 사실을 스스로 인식해야 한다고 믿었다.

총장 당선은 오직 '사전적 정당성'의 필요조건에 해당되고 임기 중 공복으로서의 열정과 헌신의 책무를 바르게 수행하고 구성원으로부터 최소한의 공감대가 형성 될 때 '사후적 정당성'을 쌓아갈 수 있고 그렇지 못할 경우 자리만 지킬 뿐 존재의 정당성을 상실하게 된다고 거듭 되새겼다.

제 4 부

50년간의 체험에서 깨달은 교훈

Ⅰ 실패는 깨달음의 기회이고, 극복하면서 미래를 결정한다.

Ⅱ 인생행로의 갈림길에서 학문정진을 위해 결단하다.

Ⅲ 성취를 이룬 후 마음가짐

I

실패는 깨달음의 기회이고, 극복하면서 미래를 결정한다.

9살에 상경한 이래 60년의 생애를 되돌아보면서, 오늘의 나를 가꾸어온 원천이 무엇이었는지를 생각해 보곤 한다. 만일 나에게 어떻게 "70세까지 교직에 몸담고 있는가"라고 묻는다면 "10대 때부터 실패의 교훈을 간직하고 있기 때문이다"라고 답할 것이다.

어린 시절부터 실패를 겪지 않았다면, 오늘의 나는 어떠한 모습이고, 어떻게 나이를 먹어왔을까? 결론부터 이야기하면, 실패를 겪으면서 나 자신의 부족함을 깨달았고, 부족함을 채우기 위해 꾸준히 최선의 노력을 기울이는 것이 당연한 책무라는 사실을 스스로 각인시켰기 때문에 오늘을 살아가고 있다고 믿고 있다.

이미 앞부분에서 서술했던 여러 차례의 실패 중에서 인생의 좌표설정에 크게 영향을 준 3개의 사례가, 누구나 겪을 수 있는 평범한 체험일 수 있지만, '평생 교수'로 예측 가능한 삶을 이끌어오게 한 전기였다.

첫째, 중학입시에 실패, 재수를 통해 중학에 진학하게 된 사례는 소년시절 '의식 성숙'의 전환점이 되었다.

둘째, 대학시절 혼돈과 방황 속에서 선택한 공직에 들어서기 위해 행정고시를 준비했지만, 4차례의 도전 끝에 가까스로 합격함으로써 '공적 영역'에 진입할 기회를 가졌다.

셋째, 공무원 신분으로 전례 없는 유학 기회를 얻어 학위 취득 후 2차례 실패, 3번째의 시도 끝에 모교교수의 염원을 이룸으로써 '평생 교수의 길'을 걷게 되었다.

기본적으로 주어진 여건에 순응하고, 최선의 노력을 경주하는 것이 인간으로서의 기본책무라는 지극히 평범한 사실을 잠시도 잊지 않으면서 고비 고비 좌절을 겪을 때마다 실패의 원인은 나에게 있고, 원인을 개선 · 치유해야만 또 다른 실패를 맞지 않고 새로운 가능성을 열어 나갈 수 있다고 믿었다. 실패를 겪으면서, "실패로 인해 결코 좌절해서는 안 되고, 좌절할 일도 아니다"라는 것을 체득했다.

실패가 나에게만 오는 것이 아니고 누구에게나 닥치는 일반적인 것이고, 실패하지 않는 것이 예외적일 수 있다는 사실을 분명히 깨우치게 되었다. 예를 들면, 대학교수 응모에 복수의 응모자가 지원했다고 할 때, 실패의 확률이 더 높고 성공할 가능성은 평균적으로 낮을 것이다. 이럴 때 실패했다고 좌절하거나 남을 탓할 이유가 없다. 경쟁에서 성취를 이룬 사람은 그만큼 필요한 사람으로 간주되었고 나는 기준에 미달했다고 해석해야 한다. 내가 실패한 것은 부족했기 때문이고, 이러한 부족함을 치유해야만 또 다른 기회에 대응할 수 있다는 평범한 사실을 외면해서는 안 된다고 스스로를 채찍질했다. 어떻게 보면, 결과에 불만을 갖고 전전긍긍하는 시간에 신속히 다음 준비를 위해 매진하는 것이 월등히 미래지향적이라고 스스로를 격려했다.

실패를 맞는 순간, 좌절에서 벗어날 수 없지만, 곧 평정을 찾고 자신을 되돌아보면 해답이 나온다. 해답은 다름 아닌 '나 자신'에게 있다는 사실이다. 이러한 사실을 깨달음으로써 스스로의 부족함을 치유하고 다음 기회에 더욱 강건하게 대응할 수 있는 역량을 쌓을 수 있다는 긍정의 마음가짐이야말로 소중한 자산이라고 생각했다. 설령 어느 시점에서 실패를 겪지 않고 성취했다고 해도, 성취가 가져오는 새로운 불확실성은 또 다른 차원의 실패 가능성이 잠복하고 있다는 사실에 유념해야 한다. 성취하는 순간 새로운 기대에 부응해야 하는 '새로운 짐'이 성취 이면에 자리 잡고 있다는 사실을 간과해서는 안 된다.

한때의 실패가 미래의 더 큰 실패를 막고, 미래의 불확실성을 극복하는 고유 역량을 배양할 수 있는 기회라고 한다면 실패→성취→실패의 반복은 새로운 가치창출을 이루어내는 도전의 원천이 될 수 있다는 점을 강조하고 싶다. 아울러 성취의 길에 도달할수록 겸허한 마음으로 대응하는 성숙함은 인간존재의 가치를 판단하는 기준일 될 수 있다는 점을 깊이 헤아려야 한다. 그렇다면 '실패는 오히려 자신에게 주어진 기회이고 선물이라는 믿음' 그리고 '성취의 길에 이를수록 겸허한 마음을 유지하는 것'이 우리 모두에게 소중한 교훈이라고 생각한다.

II

인생행로의 갈림길에서 학문정진을 위해 결단하다.

현재까지 38년간 교직을 수행할 수 있게 된 전기가 여러 차례 있었지만, 그중에서 가장 결정적인 선택은 2년간의 국비공무원 유학을 마치고 귀국해 당연히 공무원으로 근무해야 할 상황임에도, 박사학위 취득을 위해 공무원을 사직하고 주저하지 않고 유학비용을 상환했던 것이다. 1980년 당시 기준에서는 상상하기 어려운 결단(determination) 이었다. 만일 이때의 결단이 없었다면 그 뒤 인생행로가 어떻게 흘러갔을지 상상하기 어렵다.

우선 공무원 되겠다고 수년간 행정고시 준비했던 사람이 국비유학 2년에 만족하지 않고, 공부를 계속하기 위해 공무원을 사직한다는 발상 자체가 존재하기 어려웠다. 여기에 그치지 않고 당시 기준으로 25평 아파트값에 버금가는 유학비용을 일시에 상환한다는 것은 중산층 가정 기준에서도 상상하기 어려웠다. 부모가 어느 정도 여유가 있어도 부담하기 어려운 비용임에도, 무직 아버님이 유일하게 보유한 단독주택(동대문 근처 창신동 소재)을 처분해 비용 상환에 충당하는 것을 이해해 준 사람이 어머님을 제외하고는 아무도 없었다.

공부를 계속하기 위해 평생직장으로 간주하던 공무원을 사직하고 감당하기 어려운 유학비용을 상환한 최초의 행정고시 합격 사무관이었다는 사실이 결단의 '무모함(?)'을 입증하는 것이기도 했다. 겉으로 보기에는 무모한 선택임에 틀림없으나, 늦게나마 학문에 정진하겠다는 일념이 다른 어떠한 경제적 가치나 직장의 어떤 안전장치보다도 우선하다고 판단하여 결단했던 것이다.

보장된 직장을 떠나고, 분에 넘치는 엄청난 비용을 지불했던 시점에서는 분명 불확실한 미래와 한계적 경제상황에 대한 불안감을 떨치기 어려웠다. 그러나 형언할 수 없는 불안감 속에서 "내가 하고 싶은 일에 매진하는 것은 내 인생에 대한 책임있는 선택이고, 이 과정에서 짊어지는 코스트는 부차적인 것일 뿐이다"라고 스스로를 위로했다. 한번 사는 인생에서 자신이 하고 싶은 일을 계속하기 위해 비용을 치르는 것은 너무나 당연하고, 하고 싶은 일을 할 수 있다는 기대와 희망의 잠재가치에 견주어보면 그 비용은 하찮은 것일 수 있다고 스스로를 북돋았다. 입술을 꽉 깨물면서 공무원 사직과 유학비용 상환을 '철없는 만용'으로 간주하지 않고 미래를 위한 값진 비용이라고 단정했다.

이때의 결단은 나의 생애에 있어 참으로 중대한 영향을, 아니 결정적인 좌표를 만들어주었고 지금까지 그 시점의 결단에 자부심을 갖고 있다. 그 시점에 그런 결단이 없었다면, 학문의 길, 교수의 길이 존재하지 않았을 것이라고 상상할 때마다 "참으로 값진 선택이었다"고 되새긴다.

어려운 상황 속에서도 고뇌에 찬 결정의 핵심은 바로 “고려해야 할 여러 요소 중 가장 우선하는 가치가 무엇인가, 우선순위가 모아지면 그것을 최우선으로 선택하는 것이다. 그로 인한 비용과 희생(?)은 우선순위 선택에 대한 당연한 대가로 생각해야 한다”는 마음가짐을 평생 견지하게 되었다.

III

성취를 이룬 후의 마음가짐

1. 평생교육자로 인도해 준 세 가지 사례

나를 평생 교육자로 인도해 준 결정적 계기가 된 세 가지 사례를 통해 겸허한 대응이 소중함을 확인하고자 한다.

사례 I, '학위취득은 필요조건의 일부에 불과하다'

미국에서 어렵사리 박사학위를 취득했다고 해서, 학문에 매진할 수 있는 길이 보장되는 것이 아니라는 사실을 일찍 체험했다. 학위를 취득했음은 상당한 노력의 결과이고 자부심을 느낄 수 있는 모맨텀(momentum) 임이 분명하다. 그러나 그것은 어디까지나 학자가 되는데 있어서의 초보적 필요조건에 지나지 않고, 학문의 길에 있어서는 걸음마 단계에 불과하다.

학문 정진에 매진할 수 있는 평생직장에 진입하기 위해서는 새로운 차원의 준비와 겸허한 대응 노력이 뒷받침되어야 한다. 만일 학위를 취득했다고 자만한 나머지 객관적이고 냉철한 마음가짐이 없으면 불필요한 번민과 갈등이 이어질 여지가 크다.

한두 번의 교수진입 실패를 스스로 수긍하지 않고 좌절하거나 시스템을 불신하는 행동패턴이 반복된다면, 계속 불확실성의 혼돈에서 벗어나기 어렵다는 점을 간과해서는 안 된다. 오히려 실패가 나 자신의 미숙함에서 비롯되었고, 이를 개선하기 위해 꾸준한 성찰이 이어질 때 신뢰와 공감을 도모할 수 있다는 겸허한 마음가짐이 긴요하다. 이러한 마음가짐이 뿌리내리고 있으면 분명히 기회가 도래하고 자신의 목표를 실현할 수 있는 길이 열린다는 긍정의 자세를 깊이 간직해야 한다.

사례 II, 교수채용은 최소조건을 확인한 것에 불과하다.

난관을 뚫고 교수로 채용된 시점에서 자칫 교수로서의 적격을 확인받았다고 생각할 수 있으나, 어디까지나 '조건부 확인'이라고 생각하는 용기가 필요하다. 대학이 교수로서 전공분야의 강의와 연구에 임할 수 있는 최소조건을 갖추었다고 판단했고, 교수임용 후 기대에 부응하는 본분을 이행할 것이라는 믿음에 기초하여 교수의 직분을 부여한 것으로 이해해야 한다.

그렇다면 교수 임용 후 학자로서 해당분야의 교육과 연구에 매진하며, 의미있는 성과를 이루어내는 책무를 이행할 때, 사실상 진정한 의미의 교수채용이 완성된다는 자세를 견지해야 한다. 임용은 완결을 향한 첫출발에 불과하다는 내면의 믿음이 견고할수록 자신을 필요한 존재로 만들어야 한다는 무언의 힘이 생성된다고 생각해야 한다. 이러한 소명의식이 결여된다면 교수임용이 자칫 도덕적 해이를 야기함으로써 자신의 존재가치를 반감시키는 역설(逆說)을 잉태

할 수 있다는 사실을 지나쳐서는 안 된다.

사례 Ⅲ, 총장선임은 무한책임을 부여한 절차에 불과하다.

2천 명 교수들의 투표에 의해 총장에 선출되었다고 해서 '대학의 리더'로써 자연스럽게 권위가 만들어지고 최종 책임자로서의 위상을 부여받는 것이 아니라는 사실에 유념해야 한다. 선출은 어디까지나 절차적 정당성을 거친 것에 불과하다. 그러한 절차를 거친 선출직 공복이 대학의 보편적 공통이익을 추구 · 실천하고 기관의 미래 비전에 맞는 결정을 도출하면서 광범위한 내부의 공감대 형성과 환경으로부터의 이해와 지지를 확보하려는 노력이 가시화될 때 책임 공복의 존재가치가 확인될 수 있다고 생각해야 한다.

기관의 책임자이기 때문에 나의 비전과 시각을 여과 없이 투입할 수 있다는 교만함이나, 구성원을 컨트롤할 수 있다는 예단은 선출직 공직자에게 기대되는 역할과 양립하기 어려운 경우가 많다. 선출되었기 때문에 나의 판단이 우월하고, 우월한 나의 판단을 용이하게 의제로 격상시키겠다는 집착에서 벗어날수록 선출직 공직자의 존재가치를 유지 · 심화시킬 수 있다는 본질을 깊이 체화해야 한다.

선출직 공직자는 투표를 통해 신임을 받는다. 표를 통한 경쟁인 만큼 자신이 통제할 수 없는 불확실성이 많을 수밖에 없다. 그렇다면 표를 통해 신임을 받았을 때, 그 결과를 '우연'의 행운이라고 생각할 여지를 가져야 한다. 어떻게 보면 내가 운이 좋아서, 나의 역량을 투표권자들이 과대평가해준 결과 표를 많이 얻게 되었다고 생각할수록, 겸허한 마음을 안고 공직에서 일을 시작할 수 있는 기반이 마련될 수 있다. 만일 반대로 나의 선출이 필연적인 것이라고 간주

한다면, 그러한 생각의 이면에는 공직을 수행함에 있어서 독선과 교만을 배제하기 어려울 수 있다. 이런 점에서 선출은 '우연'이고, 선출 이후 역할과 성과를 통해 '필연'에 다가서려는 태도가 더욱 본질에 충실한 선출직 공직자의 마음가짐이라고 생각했다.

2. 무엇을 이루어냈다고 자만해선 안 된다.

인간 누구나 어떤 일을 이루고 나면 자신의 성취에 만족해한다. 특히 어려운 일을 슬기롭게 헤쳐나가 성취를 이루었을 때 인간적 측면의 자기만족과 자부심은 인지상정의 차원에서 넉넉히 이해할 수 있다. 그러나 자칫 자부심이 자만심으로 흐르거나 오만함으로 빠져들어가서는 안 된다.

'나만이 할 수 있고 결과를 이루어냈다'라는 오만함은 성취가 이루어 낸 자신의 가치증진을 스스로 훼손하면서 더 나은 미래로 나아가는데 있어 제약요소로 작용할 가능성이 높다는 사실을 인식해야 한다.

'내가 잘나서 성취를 이루어냈다'는 생각은 지극히 단견(短見)에 불과할 뿐이다. 어느 시점의 성취는 '하나'의 단계일 뿐이고 또다시 새로운 목표가 대두하고 이에 도전해야 한다. 이 과정에서 자신의 객관적 상황과 조건을 간과하면서 필요 이상의 만족에 빠지면 곧 자만이 위험이 초래될 수 있다.

어떠한 일의 성취 후 새로운 도전이 기다라고 있을 때 새로운 기대에 부응하지 못하면 머지않아 성취의 정당성은 훼손되고 새로운 실패를 맞을 수 있다. 새로운 도전에 부응하지 못하면 한 번의 성취가 곧 실패로 귀결될 가능성이 상존한다는 사실을 과소평가해서는 안 된다. 따라서 성취에 수반하는 책임과 기대에 부응해야 할 또 다른 의무와 '전념(devotion)'이 이어져야 한다는 점을 소홀히 해서는 안 된다.

그러기에 성취가 초래하는 '역할의 기대'에 부응하려면 냉정한 자세로 최선의 노력을 기울여야 한다. 당연히 자만심을 불식하고 새로운 환경에서 도래될 불확실함을 예견하고 이를 극복하기 위한 겸허한 헌신이 지속되어야 한다.

3. 성취를 객관화하는 노력은 신뢰형성의 출발

자신의 성취를 낮추는(discount) 겸허한 자세가 결과를 객관화하는데 근접하는 모범답안이라고 생각하는 성숙한 의식의 체화가 긴요하다. 자신이 이룩한 성취를 객관화할수록 자신의 공백과 취약점, 타인의 장점과 강점을 찾아낼 수 있는 안목이 만들어진다. 이러한 안목은 새로운 일을 구상함에 있어 기존의 방식보다 진화된 접근에 다가설 여지를 넓혀준다. 그럼으로써 미래의 불확실성과 위험을 완화하거나 극복할 가능성을 높일 수 있다.

자신의 기존 성과 또는 미래의 목표를 자신이 설정한 주관적 기준에 따라 낙관적으로 설정한다면 미래의 새로운 결과가 당초의 기대에 미달할 가능성이 높다. 그럴 경우 자신에 대한 기존의 신뢰는 손상될 수 있다.

반면 자신의 성과 또는 미래의 목표와 성취가능성을 냉철한 입장에서 객관화하는 노력을 기울이거나 경우에 따라 낮추어 잡는다면, 가까운 미래에 전개될 결과가 당초 언약한 기대에 부응할 가능성이 높아진다는 점에서 신뢰가 축적될 수 있다. 그러기에 내가 이룩한 성과, 또는 나에 대한 타인으로부터의 기대를 객관화할수록, 결과에 대한 신뢰는 높아질 수 있고 자신의 존재가치에 대한 신뢰를 확립할 수 있다.

여기서 강조하는 것은 이룩한 성과를 의도적으로 과소평가 하거나 미래를 낙관하지 말라는 것이 결코 아니다. 기존의 성취를 냉철히 진단함은 물론이고 미래를 준비함에 있어 철저히 객관적 정보를 확인하고 불확실한 요소를 추출하면서 구성원들과 정직한 공유노력을 기울임으로써 다가오는 새로운 변화에 맞추어 최적의 대안을 모색하는 데 한 치의 오류와 과신이 개입해서는 안 된다는 것이다.

책임 있는 위치에 있을수록 냉정히 객관적으로 사안을 파악하고 대안의 모색이 치열하게 이루어질 때, 불확실성을 줄이고 당초의 목표에 접근할 가능성이 높아진다. 이 과정에서 자신이 구상하는 목표에 대한 신뢰가 형성되고 예기치 않는 어려움을 극복할 수 있는 역량이 증진될 수 있다는 점을 깊이 고려해야 한다.

일정 수준의 신뢰가 축적되면, 상호 소통이 원활하고 공감대 형성이 용이해짐으로써, 사안의 본질을 파악하고 문제를 풀어나갈 수 있는 총체적 소프트웨어 역량이 증대됨은 자명하다. 겸허함→ 객관화 노력→ 예측의 용이함 → 신뢰 형성의 선순환 과정은 한 개인이 할 수 있는 역량의 범위를 넓혀주고 기관이 추구하는 가치를 심화시킬 수 있다는 평범한 사실에 귀를 기울일 필요가 있다.

부록

남기고 싶은 다짐의 말

Ⅰ 학창시절 · 교수시절의 체험

Ⅱ 사례를 통해 도출한 메시지

Ⅲ 위기와 좌절극복 사례의 교훈

Ⅳ 50년간의 체험에서 깨달은 교훈

이 책에 서술된 내용 중 필자가 강조하고 싶거나, 혹시라도 기억할 필요가 있다고 판단되는 「언급」을 발췌해서 수록했다. 뒤부분에서는 중요한 결정과정에서 관찰했던 의미있는 시사점을 원문에서 추려내 정리했다.

I

학창시절 · 교수시절의 체험

[중 · 고교, 대학시절]

– 경기중학교 합격 후 1학년 초

"이제 더 이상 실패해서는 안 된다. 앞으로 다시 실패를 겪지 않도록 항상 정신을 바짝 차리고 마지막 순간까지 최선을 다하되 결과에는 연연하지 말자"

– 서울대학교 입학시험 치른 후

" '매사에 최선을 다해야 한다'는 각오를 실천하지 못했던 것을 후회 한다. 최선을 다하지 못한 과오가 반복되지 않아야 한다"

– 대학 3학년 재학 중

"그동안 품어왔던 미래에 대한 낙관적 기대(허상속의 나)가 냉엄한 '현실속의 나'로 재정비 되어 가고 있음은 시골소년→미숙한 청년→성숙한 청년으로 진화하는 탈바꿈의 과정이다"

"현실을 냉정하게 파악하는 노력이 근원에 다가설 수 있는 출발점이다. 현실을 고착시키는 제약조건을 찾아내고 이를 치유 · 개선 ·극복하는 것이 긍정의 미래로 나아가게 하는 힘이다"

"명문고 · 명문대 출신이라는 이유로 '외견상 높아진 눈높이'와 '나약한 현실적 역량' 간의 괴리를 좁혀야 미래가 열릴 수 있다"

"자신을 존립(存立)시켜야 할 주체는 바로 자기 자신이라는 '불변의 사실'에 어렵사리 눈을 뜨기 시작했다. 생활인으로서의 존재의미가 미래가치를 지향하는 '거대담론' 못지않다는 사실도 서서히 깨우치기 시작하며 두 개의 접합점이 어디에 있는지 구체적 진로를 찾았다"

– 대학 4학년 재학 중

"실패의 원인은 나 자신에 있다. 성급하게 목표를 세우면서, 심혈을 기울이지 않은 채 단기간에 성취하려는 '조급함'에서 벗어나, 여유를 갖고 차분히 준비해야 한다"

[유학시절]

– 학문에 정진하기로 결단

"몇 달의 번민 끝에, 공무원 생활을 접고 박사학위를 취득, 학문의 길로 나아가기로 단호히 결심했다. 뒤늦게 인생 목표를 새롭게 설정한 것에 대한 비용은 당연히 감수해야 한다고 생각했다"

– 뉴욕 유학 시 주말 노점상 마치고 귀가하면서 독백

"뙤약볕에서 10시간 일하고 오늘은 150달러를 손에 쥐고 집에 오니 마음이 뿌듯하구나. 오늘은 저녁 후 흐뭇한 마음으로 공부에 집중해야겠다. 그래야 일한 보람을 찾을 수 있지. 내가 만일 부잣집 아들이었다면 이런 흐뭇함을 겪어볼 수 있을까?"

– 공무원 사표 수리 후

"어려움도 '인과응보'라고 생각해야 한다. 난관의 도래는 '내가 설정한 목표를 이제 더욱 값진 것으로 만들어야 한다'는 각오를 다지게 만드는 계기이다"

"내가 추구하고 싶은 가치에 매진하는 것이 나의 존재를 확인하고 삶의 희망을 향해 나가는 길이다"

" '학문의 길' 선택이 무모하지 않다는 것을 증명하기 위해 더 없는 에너지를 분출해야 한다"

[교수 도전 시절]

– 서울대 교수 공채 실패를 겪으면서

"실패의 귀책사유가 나 자신에게 있고 '자업자득의 우(愚)'에서 벗어나지 못했다. 인사권자가 나의 과실로 판단해 결정을 했다면 그러한 과오가 반복되지 않도록 더욱 신중한 처신에 유념해야 겠다"

– 서울대 3수 도전 후 채용 결정을 접하며

"미국 유학 시 간직했던 희미한 희망의 불꽃이 만 6년 만에 강렬하게 타오르는 경이로움을 억제할 수 없었다"

– 3번의 공채 시도 후에 얻은 교훈

"첫째, 한번의 실패에 좌절해서는 안 된다"

"둘째, 실패의 원인을 스스로에게 찾아야 한다"

"셋째, 성취에 도달했을 때 겸허한 자세가 긴요하다"

[교수 시절]

– 교수 생활 시작하면서 스스로에 대한 질문

"직책과 역할 그리고 보수의 제도적 보장에 상응하는 '해야 할 일'을 제대로 하고 있는가? 라는 질문을 자주 스스로에게 던져야한다"

– 교수로서의 책무를 다짐하며

"지적 자부심을 갖춘 학자에게는 교육과 연구를 통해 가치창출의 책무를 게을리 하는 것이 내면의 범죄일 수 있다. 주어진 책무에 최선을 다하는 것이 기본 책무일 뿐 결코 자랑거리가 될 수 없다"

"교수로서 진정한 보수는 월급봉투에 적혀진 보수가 아니고 자신이 창출한 가치증진의 몫이다"

"학생이 나를 기다리고 있다. 고로 나는 존재한다"

– 대학 회의에 참여할 때의 긍정의 힘

“나를 초청한 데 대해 감사하고, 배울 기회를 놓쳐서는 안 된다. 안건을 미리 숙독하고 언급할 내용을 미리 준비하면서 결론 도출에 도움이 되는 발언에 집중해야 한다”

[리더십 도전 시절]

– 소수의 강박감 벗어나기 위한 다짐

“우월감을 갖고 있으면서 실천과정에서 취약점을 노정하는 것보다 차라리 부족하다는 생각을 가지면서 그것을 보충하기 위해 열심히 노력하는 것이 바람직하다. 오히려 소수이기 때문에 폭넓게 볼 수 있고, 타인의 어려움을 쉽게 파악할 수 있는 장점을 살려 나가야 된다”

– 신임 실패로 부족함을 확인하며

“선거 결과를 두고, 패배했다는 생각을 하지 않았다. 패배임이 분명하지만 차라리 ‘역량과 지지에 도달하지 못한 미완(未完)’을 확인한 것이라고 생각했다”

“총장 선거의 실패는 ‘더욱 철저히 준비해 제대로 된 공직의 길을 걸으라’는 은혜로운 선물이라고 생각했다”

“주저하지 않고 도전해서 얻은 실패의 값진 교훈이야말로 미래의 가능성에 다가서게 하는 필수적 동력이라고 확신했다. 아직도 채워지지 않은 부족함을 거듭 채워 완결(完決)의 길로 나아가야 한다”

[당선 직후의 소회]

– 무엇이 불가능에 가까운 공직에 도전하게 했나?

" '자신을 알고, 자신을 이기는 무언의 힘',
'남을 알고, 이해하는 공감의 힘',
'우리가 더 나은 미래로 나아갈 수 있다는 긍정의 힘'이 동경의 날개를 펼치게 한 뿌리였다"

– 당선 이후의 신임이 더욱 어려운 길

"치열한 경쟁을 뚫고 선출직에 당선되는 것이 무척 어려운 일이지만, 이보다 더욱 어려운 것은 당선 후 공복으로서 지지자들의 기대에 부응해야 하는 것이다"

"당선은 오직 '사전적 정당성'의 필요조건에 해당될 뿐이다. 임기 중 열정과 헌신의 책무를 바르게 수행하고 구성원으로부터 최소한의 공감대가 형성될 때 '사후적 정당성'을 쌓아갈 수 있고 그렇지 못할 경우 자리만 지킬 뿐 존재의 정당성이 취약하게 된다"

Ⅱ

사례를 통해 도출한 메시지

[제도 형성 과정]

– 국제대학원 설립 사례

“하위 목표를 양보함으로써 반대의견을 수용하는 포용이 큰 흐름의 상위가치를 살릴 수 있다”

“반대의견이 객관적으로 옳고 그름을 떠나, 진정성 있게 경청하고, 이를 어떤 형태든 반영하는 노력이 결정의 불확실성을 줄이거나 극복할 수 있는 길이다”

– 분당병원 사례

“미래의 경쟁력을 고려하여 사업 규모를 적정화하는 노력이 일정한 시간이 경과한 후에는 ‘옳은 선택’일 수 있다”

“책임자의 의지와 실천력이 완결 과정에서 필수조건이다”

– 농생대 학과명칭 변경 사례

“반대 의견을 존중하면서, 보다 상위 목표의 가치창출에 동반하는 가치공유 → 의견집약 → 결론도출의 과정이 기관의 미래가치를 향상시킬 수 있다"

"후발주자에 대한 선발주자의 포용이 긴요하다"

- 운영소위원회 제안 사례

"최고 의사결정기구가 바람직한 방향의 최종결정을 주도하기 위해서는 기관의 장, 회의의 구성원, 준비팀이 삼위일체가 되어 의제 발굴, 의제검토, 결론도출, 집행계획 등이 선순환 될 수 있는 시스템을 구축해야 한다"

"의사결정기구가 본연의 역할을 다하기 위해서는 참여자들의 철저한 사전학습 등 회의 대처 노력이 선행되어야 한다. 더 나아가서 목표에 접근하기 위해 전부 아니면 전무(all or nothing) 형태의 단수(單數) 대안을 제시하는 조직문화에서 벗어나 복수(複數) 대안을 파악하고 우선순위를 제시하는 유연한 의식구조의 변화가 수반되어야 한다"

- 차세대융합기술연구원 사례

"숨은 목표(hidden goal)가 있더라도 그것을 드러내지 않고, 상대방이 판단할 기회를 기다리는 의연한 자세는 결정자의 마음을 움직이게 하는 신뢰의 분위기를 이끌어낼 수 있다"

[대학 기반시설 구축]

– 3개 대학 강의동 신축 사례

"결정의 완결에 이르기까지 과정과 절차를 완벽하게 파악하고 있어야 결정 단계별 타이밍을 맞출 수 있다"

"겸손하게 당위성을 설명하면서도 양보할 수 없는 사안에 대해서는 당당함을 잃지 않아야 한다"

"마지막 결정까지 돌발 변수가 생길 수 있다는 점을 염두에 두고 만일의 사태에 대비해야 된다"

– 치과병원 신관 신축 사례

"책임자의 진지한 '우연의 노력'이 필연을 만드는 계기일 수 있다"

"책임자의 무한책임을 향한 집요한 노력과 이에 대한 순응과 응답이 함께 어우러질 때 가시적 성과가 도출될 수 있다"

– 대운동장의 우레탄 공사 사례

"모교의 하드웨어 시설을 개선해야 한다는 원로교수의 의지와 집념이 숙원사업의 원동력이 되었다"

"꼭 해야 한다는 일방적 '당위론'에 치중하지 않고, 실상에 대한 객관적 진단의 토대 위에서 새로운 사업이 창출할 공공적 · 사회적 가치를 설득력 있게 제시해야 한다"

– 약초원 귀속 사례

"난제를 풀어낸 힘은 공적 가치의 추구에 사적 자원을 총가동하는 철저한 헌신의 리더십이다"

"백지상태에서 새롭게 출발하는 기관은 초기 책임자가 장기간 투혼을 쏟아야 기관형성(institution building)을 할 수 있고 발전 궤도로 진입할 수 있다"

[동료교수들과의 신뢰 형성]

– 사무관 증원 사례

"사무관 증원 문제로 보직교수를 만나는 과정에서 정성, 헌신, 일관성, 정서적 의존 등을 공유할 수 있었던 것은 크나큰 선물이라고 생각했다"

– 농촌진흥청 연구과제 사례

"자신의 전공을 살리기 어려운 분야의 연구 제안은 해당 분야의 교수들에게 역할을 맡기는 것이 자연스러운 교통정리이다"

– 기금교수와의 만남 사례

"구성원들로부터 현안문제의 본질을 파악할 수 있는 객관적 정보의 공유가 이루어짐으로써, 보다 긍정적 의사결정에 접근할 수 있다는 사실을 간과해서는 안된다"

"나를 반대하는 사람마저도 대화를 통해 소중한 실상을 확인하고 의사결정 과정에 고려함으로써 보다 양질의 결정으로 나아갈 수 있다"

[위기 상황에서의 고언]

– '사임하시라'는 고언 사례

"어려움이 큰 것이든, 사소한 것이든 어려움으로 드러난 이상 어려움을 극복해야 한다. 어려움을 극복하기 위해서는 어려움을 있는 그대로 수긍하고 어려움으로 인한 파급을 줄이기 위해 조속히 근원적으로 대처하는 것이다"

– 학장 반발 무마한 총장의 용기

"조직 내에서 문제가 불거졌을 때, 지위 고하를 막론하고 문제를 풀려고 먼저 손을 내미는 사람이 진정한 승자라고 생각한다"

"더욱 윗사람이 먼저 손을 내미는 일은 진정으로 값진 일이다"

"신속히 과오를 인정하고 흔쾌히 사과할수록 불필요한 에너지 소진을 막고, 우선순위가 높은 중요 결정에 리더십 에너지를 배분할 공간이 커지게 된다"

– 병원장 선임 사례

"내부의 오해와 갈등의 문제를 대학 밖에서 공론화하는 것은 또 다른 '학내문제의 정치화'가 야기됨으로써 바람직하지 못한 양상이 전개될 수 있다"

"어떤 의혹을 풀어야 한다는 당위론이 존재하더라도 의혹을 푸는 과정에서 활용되는 수단이 초래하는 '유형 · 무형의 비용'을 감안해야 하고, 기관이 안게 될 유 · 무형 비용이 회복되기 어려울 정도로 크다면, 당연히 절제하는 조직문화가 뿌리내려야 한다"

III

위기와 좌절극복 사례의 교훈

– '국고 유용 사례' 보도 백지화 사례

" '나에 대한 불신'의 단초는 나로부터 출발한 것이고 결국 내가 원인 제공자라고 생각해야 한다"

"내가 감성적 측면에서 신뢰를 받았다면 그렇지 않았을 텐데...... 결국 문제는 나 자신에게 있다는 것을 겸허히 인정해야 한다"

– 논문 중복게제 의혹 사례

" '주목받는 위치로 나아가겠다'는 순간부터 시련은 '나에게 보약이 될 수 있다'는 긍정의 자세를 견지해야 한다. 앞으로 예견하지 못할 더 큰 시련이 닥친다고 해도 정직하고 의연하게 대응해야 한다"

– '가족문제' 유포 사례

"경쟁에는 늘 네가티브 공세가 뒤따르기 마련이니 당당하게 대응해야 한다. 경쟁이 치열한 선출직에 도전하려면, 상상하기 어려운 험담에도 흔들리지 않고, 원숙히 대처하며 꿋꿋이 나아가는 '내공(內功)'이 필요하다"

IV

50년간의 체험에서 깨달은 교훈

– 실패는 오히려 자신에게 주어진 기회이고 선물

"한때의 실패가 미래의 더 큰 실패를 막을 수 있고, 미래의 불확실성을 극복할 수 있는 고유 역량을 배양할 수 있는 기회라고 한다면 실패→성취→실패의 반복은 새로운 가치창출을 이루어내는 도전의 원천이 될 수 있다"

"성취의 길에 도달할수록 겸허한 마음으로 대응하는 성숙함은 인간존재의 가치를 판단하는 기준일 될 수 있다"

– 우선 순위에 따른 가치의 선택

"어려운 상황 속에서도 고뇌에 찬 결정의 핵심은 바로 고려해야 할 여러 요소 중 가장 우선하는 가치가 무엇인지를 찾아내는 것이며, 우선순위가 모아지면 그것을 최우선으로 선택하고 그로 인한 비용과 희생(?)은 우선순위 선택에 대한 당연한 대가로 생각해야 한다. 내가 하고 싶은 일에 매진하는 것은 내 인생에 대한 책임 있는 선택이고, 이 과정에서 짊어지는 비용은 부차적인 것이기 때문이다"

– 스스로에 대한 냉정함 잃지 않는 겸허함

“‘나만이 할 수 있고 결과를 이루어냈다’라는 오만함은 성취가 이루어 낸 자신의 가치증진을 스스로 훼손하면서 더 나은 미래로 나아가는데 있어 제약요소로 작용할 가능성이 높다”

“성취가 초래하는 ‘역할의 기대’에 부응하려면 냉정한 자세로 최선의 노력을 기울여야 한다. 당연히 자만심을 불식하고 새로운 환경에서 도래할 불확실함을 예견하고 이를 극복하기 위한 겸허한 헌신이 지속되어야 한다”

“자신이 이룩한 성취를 객관화할수록 자신의 공백과 취약점, 타인의 장점과 강점을 찾아낼 수 있는 안목이 만들어진다. 이러한 안목은 새로운 일을 구상함에 있어 기존의 방식보다 진화된 접근의 여지를 넓혀줌으로써 미래의 불확실성과 위험을 완화하고 극복하게 하는 원천이 될 수 있다”

“겸허함→ 객관화 노력→ 예측의 용이함 → 신뢰 형성의 선순환 과정은 한 개인이 할 수 있는 역량의 범위를 넓혀주고 기관이 추구하는 가치를 심화시킬 수 있다”

“공직 선출을 ‘우연’의 행운이라고 생각하는 자세를 견지할 필요가 있고, 공직선출 이후 기대에 부응하는 성과를 통해 ‘필연’에 다가서려는 태도가 더욱 본질에 충실한 공직자의 마음가짐이다”

〈표 색인〉

<표1> 행정고시 시험과목 체계도(1975년 기준) _p.51

<표2> '유학제도 입안'부터 '새로운 출발'에 이르기까지 여정 _p.87

<표3> 3차례 교수응모의 계기와 결과 _p.104

<표4> 자신감(자부심) 영역의 변화 _p.128

<표5> 총장에 대한 역할 기대의 이분법적 기준 _p.131

<표6> 유형구분에 따른 사례의 내용 _p.137

<표7> 운동장 우레탄 사업의 전개과정 _p.168

〈참고문헌〉

오연천,『대학이 희망이다』, 서울대학교출판문화원, 2014

오연천,『함께하는 긍정』, YBM, 2016

오연천,『결정의 미학』, 21세기북스, 2016

오연천,『결정의 리더십』, 21세기북스, 2016

오연천,『국가재정의 정치경제학』, 21세기북스, 2017